戦闘への招待

谷川雁

目次

I

乗りこえられた前衛

はやくも「第二の戦後」という言葉がとびだしている。あるいはまた「市民革命」「中間ムードを打ちやぶる一種の精神革命」等々。

これらのキャッチ・フレーズから情熱にあふられて紅潮している余剰物をとり去って、今後の一世代を支配するであろう精神の基調をみいだそうとすれば、どうなるか。当然にそれは安保闘争の当面の勝敗いかんにかかわらず成立する条件でなければならない。

安保の風は東から、上から吹いてくる。私の地方ではやっとゼンガクレンが主婦や子供の日常語になった。「ゼンガクレンは強いかね」「弱い」と炭坑のはなったれどもは異口同音に答える。〝弱い皇子《みこ》ゆえ命もすてた、おらが熊襲はよか男〟という奇怪な歌が私の通った高等学校にあった。庶民の天皇制護持とはまさにこのような心情を指すのであろうとひどく感じいったことがあったが、いまや炭坑では理屈ぬきに全学連護持である。

もちろん主流派も反主流派もない。民社系の労組幹部が「そもそも平和革命なんてものがありますか」と豹変したりしているのをふくめて、弱いところが何ともいえない全学連派にいたるまで、大衆の哲学はようやく危機にひんしている。

状況に参加できない。参加しようとすればするほど状況からはじきだされる。なおもそれに参加しなければならないと決意すれば、そこに一種の屈服を強いられる――というのが安保闘争はじまって以来、敏感な下部活動家をとらえた問題であった。それがようやく反体制陣営の内部批判という姿勢をとった反体制運動が、大衆的に保証される時点に達したと感じられはじめている。その自覚はまだ強くはない、東京の意外な高揚ぶりにひそんでいる反体制陣営の既成の組織にたいする不信というムードは、組織そのものの手でパイプが断ちきられているため、地方へは思想的な意味として伝達されないからである。

しかしこの流路が敷設されるなら、××護持の精神は急速に「われらの内なる安保体制、または安保根性」の切開に向うだろう。それは東から流れてくるさまざまの宣言が公的な抑制心からなお自由でなく、事態の根本的意義の一側面――「前衛」が広汎な「大衆」から思想的にも実践的にもその質においてすでにのりこえられたという点を眼にしみるほどのあざやかさで描いていないために生じている落差である。

前衛はのりこえられた。たてまえの如何にかかわらず主体としての前衛は落伍した。いまや大衆団体たる全学連と無党派のインテリゲンチアが擬似的に前衛の役割をになっている。

これは日本の革命史はもちろん世界にも類例のない新しい事態であろう。奇怪であり、危険であり、かつまた当然の展開である。一人の少女の死面と国会議事堂のモンタージュがこの時刻を浮彫りにしている。

去年の秋、私はこう書いた（「文学」五九年十月号。本書一四七頁）。「いわば前衛と大衆はいまや問題把握の深さにおいて競争関係に立っている。それはアキレスと亀の競走に似ていないこともない。むろんアキレスは前衛であり、大衆は亀である。何万分の一ミリメートルか知らないが亀が前衛の前方を走りつづけていることは疑えない気がする。なぜかなら大衆の方が前衛よりも自分のなかの分裂した諸契機を統一しようとする全体的欲求をあらわにしているからである。」

そう書きながら私は何をしたか何をしたかという声が耳について離れない。町や村の電柱に千篇一律のスローガンが千篇一律の手つきではられていったとき、みずからの発意で自分の血から思想を汲もうとする小さな群がひとつひとつ無視され冷笑され孤立させられ砲火を浴びせられたとき、苛烈な合理化にたいする反撃の情熱に無内容きわまる統一の名において毒が注がれていったとき、私は時をかせごうとして時に追いつかなかった。

六全協で息の根をとめられなかった小官僚の大群が増殖し、「修正主義者」狩りと「トロツキスト挑発者」よばわりのシュプレヒコールは思想運動者としての党の役割を完全に停止せしめた。党員文化活動家のすべては不毛の状態に追いこまれた。

しかもなお小官僚どもはどこからおぼえてきたのか門前の小僧よろしく「党内の文化人、知識人といわれる連中は一人の例外もなく問題がある」などと今日にいたってもさえずっているのである。

なかでも最悪のシンボルとなったのは、重大な瞬間のたびごとに発せられる、かの「整然たる行動」というセレナーデであった。私はなにも活劇づいているわけではない。たとえば文部省の講習会にたいしてとられた物理的阻止の戦術などは愛嬌のない話だと思っている。だが火焰ビンにこりてデモを吹くといった類いの整然主義を社会党の音色にあわせて歌いつづけたのは、大衆闘争における飛躍の契機をおしつぶすことにしかならなかった。警職法闘争が一旦の勝利を収め、みずからの内部の警職法を摘発することによって安保闘争のもつ思想的次元に接続すべきであったときに、それときっかり百八十度逆の悪しき多数派獲得主義へおもむいた共産党は、もっとも愚劣な統制のむちをふるい、みずからを紋切型の運送人にしてしまった。

いうまでもなく私は自分が修正主義者（！）の烙印をおされたことにたいするしっぺ返しをしているのではない。これくらいの判断はもはや常識として確定しているにひとしい。私があえてそれをくりかえすのは、そこに第二次戦後責任の問題があり、未決に終っている六全協の再検討・再貫徹という課題があると思うからである。しかも事態の重大さは単に前衛党の堕落の一般的な深度にあるのではない。前衛は前衛党のみが必要とするものではない。広汎な大衆がそれを必要とし、したがってそれにたいする発言権もまた大衆の権利の一つである。

竹内好の発言にもうかがわれるように、人々はいま自分の必要とする前衛が存在しないという苦悩に身をしぼられているのである。発言するといなとにかかわらず、意識するといなとにかかわらず、安保闘争に激発した大衆はまさにこの痛覚に衝撃されつつ権力へ迫ったのである。しかも共産党はこの痛覚が問うているものにたいして、うなぎのように身をかわしている。事態の新しさと深刻さはここにある。

路線のちがいを思想の次元で激突させながら、すなわちその激突を保持するに足るシンセリティを確認しあいながら、行動の面でも社会主義競争を展開しつつ、人民の新しい連合をつくりだすこと、そのなかからその名に値いする前衛を編成し直すこと——敵前において、敵前であるからこそそれがなされなければならない。しかも事態は敵の速度に先んじるだけの緊急さを必要とする。日本共産党はそのたてまえ論理にもかかわらず、実体としてこのコースにのっていない。早急に、つまり必要な速度でこのコースに前進する見通しもない。この判断のもとに、私はこんど日本共産党をみずから離脱した。

内部から、下からという論理がありうるし、なければならないことは私とてもよく知っている。しかし革命的主体の必須条件である思想運動者としての位置をみずから放棄し、そのゆえに外からのりこえられてしまった党に果してこの論理は有効であるか。思想と行動の源泉である感動の共有地を失ってしまった組織になおも人間はとどまるべきであるか。私の答は否定形よりほかにない。

わが国の反体制運動が新しい段階に入ったことを否定する者はあるまい。しかしその質の受けとり方は今後ますます対極に分裂していくであろう。

それは現象の表層では一致することがしばしばであろうし、またそうでなければならないが、深部における亀裂を縫いあわせるのはもはや不可能といってよい。失われたものは二度と帰ってこない。新しい力は新しさのなかの古さをうちたおすまで、もだえながら伸びつづけるだろう。

だがここで考えてみなければならない一点がある。現在高揚しているのはまだ知識人、学生および労働者、市民などの知的部分であって、中間層的な色彩はいぜんとして拭い去られてはいない。そこではリベラリストの気分と全学連主流派的発想の間に横たわる溝が強いアクセントをもって引かれている。この矛盾を単純な連合方式で解決しようとすれば、事態は出発点に帰るだけの話である。すなわち岸信介のいわゆる「声なき声」の形をとった、アジア的抵抗の型がその消極性を煮つめることによって顕在化せしめられなければならない。でなければどのように敗北しようともあくまで降服しない精神はかつての獄中非転向と同じ構図に凝結してしまう。

もっともポジティヴであるものがかえってネガティヴに機能し偽装転向の相対的優位性をつくりだすことになれば、今日でも全戦線の潰乱はたやすく起るだろう。

ポジティヴな抵抗の対象形をみつめ、それをおのれのフィード・バック装置とみなすことは社会民主主義的な常識とは反対に、運動の自然主義的な右翼化を防止する。三井三池の闘争はこのような角度から新しい水準を切りひらき窒息せしめられつつあった坑夫たちに、はかりしれない解放感をあたえた。安保闘争がこの水準を越えることができるかどうかは、かかって今後のリーダーシップの造出のなされ方にある。同志たちよ、時はきた。

（一九六〇年六月二七日「日本読書新聞」）

私のなかのグァムの兵士

安保闘争のすべてよりも南の藪のなかに十六年生きぬいた二人の兵士の物語のほうがすばらしい。そういえば、またぞろただのあまんじゃくとして受けとられるかもしれない。しかし私は心をこめてそういうのだ。試みに『中央公論』七月号の目次にある、特集「湧きあがる民主主義」の各論文につけられた小さな活字を並べてみよう。


「大きな盛上り、その底には戦後十数年間国民生活のうちに定着した新憲法感覚があった！」

「一連の強行採決が法論理的に無効であることを表決の要件に照らしつつ個別に詳論する！」

「★憲法原理への復帰　★現在の基本状況　★将来の争点」

「孤立した者に死の影が訪れるとき、われわれは体質となった民主主義的連帯を直感する！」

「二・一ストは出来なかったが、六・四の民主主義ストは平穏に終った。筆者得意のルポ！」

「安保の賛否ではなく、民主主義・憲法を擁護する立場だけが、今日の政治危機を打開する」

「死せるダレスは遂に岸を暴走させたが行政協定をはじめ審議されなかった問題はまだ多い」

もちろんこれは各論文の筆者と編集者の責任が正体不明な形でこんぐらがったキャッチ・フレーズであるが、それだけに今日のイデオローグの心象風景を奇妙なアクセントで浮びあがらせている。この命題群には三つほどの特徴があるように思われる。第一は憲法と民主主義を抵抗のよりどころにするという考えであり、第二に安保への賛否を問わない形での戦線という組織プランであり、第三に運動の前面に一種のアカデミズムのリーダーシップを強調するという姿勢である。あいにく私はこの三つの主張のいずれにも賛成できない。それは論理というよりむしろ生理的な反応にちかい。だが強いて理屈を表明するとなれば次のようなことをいいたいのである。

まず、憲法が抵抗の原理になるというためしがあるだろうか。どこの国でも憲法はたてまえとしての原理であるだろう。その内実をみたそうとして運動が起るのはわかる。しかしその運動は「たてまえがすでにあるのに中身がないのはけしからん」という運動であるかぎり、運動の形式性はついにぬぐいさられない。たてまえに頼って運動する者は結局たてまえ性そのものを手繰りいれてしまう。それはかつての護憲運動が統帥権干犯の論理につながっていった経緯からしても、見落してならない点であろう。それを避けるために新憲法感覚といい変えてみたところで、抵抗のもっともぎりぎりの規準が天降って根をはやすという神話をふやすだけである。私の辞典によれば、それは抵抗とはよばない。民主主義を守るという言葉にしても、その空疎なひびきをどうして追いだすか思案もつかないうちに早くも守りに守ることになったのが戦後の民主主義であったという事実はいったいどうするというのか。

それは権力に向ってルールを要求することを堂々たる態度とみなす武士道的な発想が下地になっているせいであろう。必要なのは敵と味方のルールではなく、味方それ自身のルールだけである。闘争をスポーツ化してしまうことに熱心な日本のリベラリストこそ、実は、もっとも好戦的な人種ではあるまいか。しかも、この好戦性は大衆のなかに存在する前近代・前封建的な心情から社会主義的憲法感覚へ最短距離でつながっているチャンネルを不当のものとして排撃する面に強く機能するから始末が悪い。ルールというものを、あまり強調しないで、ルールを作りだすのがリベラリストの面目だと思うのだが、その期待はまたしても裏切られそうな気がしてならない。

つぎに、安保に賛成する者も反対する者もという民主主義のことであるが、私にはどうもその意味がわからない。私が安保に反対するのはすぐれて精神の自立に関する面、いわば百年前の開国条約を成立させた思想的基盤に対する否定からはじまるのであって、幾人かの発言がすでに触れたように、情勢論というよりも情勢論の拒絶の方にウエイトがある。つまりドストイエフスキイ流にいえば、それによって世界中が破滅しても私はあえて安保反対のひとことをいいたい衝動がある。だがそれはたとえ新安保体制が猛威をふるうようになってもかならずそれを無用の長物にしてみせるという自信とつながらねばならないであろう。尊王は攘夷に通じ、攘夷は佐幕に通じ、佐幕は開国に通じるあの維新前の模糊たる心理的連関のなかから、ついに文明開化以外の思想的合目的性はすべて消滅したドラマを省察するならば、ここでいわれる民主主義をじゃんけんで鬼を決めるという約束以上のものにするために、安保根性の否定というスローガンは欠かしてならないのではあるまいか。

ところで、この安保根性なるものは相当に厄介なしろものであることは疑いをいれない。というのは安保根性の否定をすこしでも明治壮士調に歌ったが最後、たちまち安保根性の最初の息子である明治の精神に還流されてしまうからである。だからといって、この問題を避けて通るわけにはなんとしてもいかない。だがそれは日本歴史の総体と対決せざるをえないゆえに、安保根性の否定を日本でもっとも没伝統の階層、小市民の重量感に求めるのはいささか荷が勝ちすぎる。したがってそこから労働者、農民と区別された一種の市民革命説が登場するわけだが、それは知性の強調という形をとってひそかに自分の階層を弁護し、その機能を不当に拡大する気味がある。いつもは個人の確立孤絶することの意味をひどく誇張している主体性論者の大群が、一朝にして変りばえもしない行動主義に転進したのを見るのはなにも今度だけではないが、それが啓蒙的位置を過大に要求することになれば、地方と下部において共鳴するのはお人よしだけに制限されるという戦後の教訓はどこにいったのであろうか。

こういう風にならべてみると、安保闘争が戦後の運動における頽廃を拡大再生産し、その集約点として現象している側面を一瞬の高揚に紅潮した知識人たちの見解のどれも充分に指摘していないようにみえて、はなはだ心細くなってくる。下司なかんぐりかもしれないが、ようやく戦後のエネルギーを使いはたしてすっからかんになった部分が、ここでどうやら再び自己を燃焼させる場がみつかったという幻想に陶酔しているのではあるまいかとうたがわれ、あらためて今日の思想危機を痛感するしだいである。おそらく私たちは社会変革の前に一度は通過せざるをえない完全包囲下の思想状況にすべりこんだのである。たしかにこの数年、私たちの文化的所産がまぎれもない不漁をつづけている事実と、現在の「湧きあがる民主主義」との間には関連がある。この不毛性に対面しつづけないで出てくる楽観的な調子は何ともやりきれない。

そのサンプルを一つ紹介しよう。「ハガチーは馬鹿もんであります。大馬鹿もんであります。ハガチーはバカチーであります。馬鹿につける薬はありません。馬鹿は死ななきゃ癒らないんであります」これは過日の集会でその地方の衆議院候補者にあてられている革命党員の演説である。さすがに下部党員の一部は日頃から蓄えている侮蔑の念を丸薬にしてのみくだしたり、風船のように吐きだしたりするようなあんばいにまっ黒な笑いをおさえかねていたが、三千人の大衆はいささかも感動する気配はなかった。だがロカビリーの歌手が「頭にきちゃう」といったのに喝采している評論家が日本中にひろがる屍臭をそれへの共鳴から説明しようとしたりしているのを読むと、さきごろ『どんとこい、われらの時代』という恐るべき題名のパンフレットを出版したばかりの前記革命家氏もロカビリー歌手なみにはその鋭い時代的感覚を賞讃されてしかるべきであろうと思われる。かかる革命家や歌手への嘲笑はあとまわしにしてもよい。しかし、それが民主主義の名において庇護されるということになれば、私は民主主義がきらいになってくる。つまり「頭にきちゃう」のである。

三井三池でもネリカン・ブルースの替歌がはやったが、「アンポアンポ泣くのね」をはじめとして東京でも替歌精神はなかなか盛んであるらしい。二種類の暗黒を重ねあわせるという指向性をもつなら、私はかならずしも替歌に反対ではない。私なども今日の夕刊に白タク組合の理事長ら六、七名が組合に入ってない白タクの運転手を組合に入れと強要してなぐりつけたという記事を読んで、とっさに共産党と全学連、または全学連主流派と反主流派を思い浮べたくらいである。とはいえ「安保を信じる者も信じない者も」といったアラゴンの焼き直しがあまり誠実に主張されると、みずから運動を戯画化することになりはしないか。思想の非生産性を促進することになりはしないか。二度あることは三度あるということわざに頼って護憲運動を推進するというような素朴な確率論は棄てるに越したことはない。もっとも先日ある知識人の集会で安保に反対しない民主主義なるものを質問したら、「さあ、そんな人は事実上ほとんどいないじゃないのですか」ということで、しきりに提灯の不足などが論議されていた。これもまた困ったものである。

安保闘争そのものが精神の自立性とその反対の安保根性とを同時に拡大再生産していること、この矛盾に眼をつけないかぎり安保闘争はその基本的意義を喪失する。あたかも警職法闘争があれだけの生活感覚を政治の次元に沈黙という形で誘いだしながら、反体制勢力が自己のうちなる警職法を克服しようとするどころか、かえってそれを統制の名において強化したために安保闘争への接続に失敗したように、この闘争がさらに深刻な発展を見せるかどうかは一にかかって自己の内部の安保体制をうちくだく方向へみちびけるかどうかにある。いわば日本の現状はロシア革命に先行する数十年、中国革命に先行する数十年にみられた一種の意識変革期に見合うものである。そういう眼でみた場合、安保闘争はこれまでのところどれだけ大衆の実感に接着し、大衆の観念をくつがえしたであろうか。その点で私は警職法闘争に遠く及ばないと考える。

なるほど美談はかずかずある。あまたの木口小平や二宮金次郎や蛍の光・窓の雪にかこまれて、竹内好と鶴見俊輔が伯夷叔斎のごとく立っている。もちろん彼等はわらびを食う必要はすこしもない。にもかかわらず大ジャーナリズムは彼等のイメージを荒野に呼ばわる者のように改ざんし、運動を道徳律の幅に収斂させるべくシンボル操作を行っている。わが方のシンボル操作の大家が二人までも敵の逆用するシンボルに半身をやられてしまうとは何としたことか。美談にされてしまわない用心はかなりむつかしいものではあろうが、その困難を加重しているのは安保闘争の中で反体制陣営が自己の欠陥をばくろすることを恐れているために、善行章好みの紳士になっているることである。警職法のときはもうすこし悪の華が匂っていた。こちらにぐれん隊の青年をひきつけるほどのものはなかったが、彼等が向うから近よってきていた。自民党反主流派をふくむ戦線を考えるとすればまずその足もとをかっさらうべきではないか。断っておくが、そのためにこちらがロカビリーを演じたり、森の石松を気どったりする必要は毫もないのである。

新憲法感覚や民主主義を守るという観念と安保根性を打破するという命題とのいずれがその内包において豊かであり、その外延においてフレキシブルであるか。私は後者をとる。もし私の考えが正しいなら、現在の知識人の主流を占める傾向は市民革命などではなくて、小市民性を先頭に立て、安保闘争を倒立させるものである。私の意見は五月一九日以降の事態の特殊性を過小評価しているといわれるかもしれない。しかし、事態を形式論からみれば、小選挙区制のときも、警職法のときも大同小異であったろう。事態の本質はこれまで政党・労組レベルの、また個人レベルの内にひそむ安保根性によって、せきとめられていたものが、ようやく流出のはけ口を見出したということではなかったか。むしろ、そのことを中心に置いて考えたほうがその日以後の情勢を確実に判定することになるだろう。

私の直接知るかぎりでは、五月一九日以後でも地方の表情にさほど質的に新しい高揚はなかった。なんとなく薄日が射したくらいの気にはなったかもしれないが、実のところはさらに重苦しい気分をひそめていた。なぜなら東京の市民的高揚に反体制勢力の「指導部分」へのふんまんが秘められていることは地方にはほとんど伝わらなかったし、伝わったとしてもそれが日本にはまだ憲法に登録されているにすぎない市民精神の花々をまきちらすことの結果は知れているからである。私が憂鬱であったのは、この一時的な高揚を我田引水によっておのが功績に帰し、その体面を保ちながらなしくずしに転向する「指導部分」の習癖がまたもくりかえされるであろうということであった。さらにハガチー事件はいままで口を開けば「整然たる統制」を唱えていた勢力の分裂として、なにやらわけのわからぬ奇妙な感覚を強いることになった。ハガチー事件は愛国正義の闘争で国会や官邸侵入は極左冒険主義、そのまた反対の見方もあるとすれば、「整然たる統制」に消極的人気があつまり、腹のなかではむずむずする「空前のデモ」となるのも無理はない。

五月末のある日、私はテレビのニュースで首相官邸へおしよせる全学連主流派と、国会をぐるぐる巻きにしたデモと、炬火をかかげた三池の夜間デモとの三つを同時に見ていたが、これが同じ国の同じ日に同じテーマで行われているデモかと感嘆したのであった。だれが見ても一目瞭然、威風あたりを払っているのは三池であった。もし警官隊が死物狂いの挑発で安保闘争と三池闘争を同時に崩そうとするならその夜は好機であったから、デモ隊の顔はきびしく緊張し、小きざみな足どりで密集して動いていた。襲いかかられたなら、その瞬間に右手に高くかかげられた炬火の機能が変化するぞという気合いは一人々々の面にあふれ、警官隊も手をつかねるよりほかはなかった。それにくらべれば、提灯デモはもとより全学連の突撃も子供の石合戦にすぎなかった。無為無策、この上ないのである。そんなテレビを見ている坑夫たちはしきりに「ケンカずれしていないからなあ、根性がないからなあ」と全学連に歯がゆがったり、同情したりする。まさにその通り、三池のケンカの手はますます百花繚乱のおもむきを呈してきている。だがそれは単なるお国ぶりではないであろう。その証拠にたったいまも私の眼の前をある大炭鉱の安保反対・葬式デモが通りすぎたばかりである。

「坑夫の地金がむきだしにされた」と新聞や雑誌はすこしばかりしかめ面をする。もちろんある種の偏見を触発すべくそう書いているのだが、この地金または生地といった形容はありがたく頂戴して悪いものではない。つまり日本の炭鉱労働者は三池においておのれの怒りの生地、マチエールを発見したといってよい。上からの組織化にともなう形式的な勇ましさが下から一枚々々はぎとられていく過程を刺殺事件いらいの三池は歩いてきた。坑夫の地金とは何か。それを表面的な気分で受けとらせようとする者をまぎれもない反動とみなすべきである。坑夫の地金——それは地下と地上に別な形をもって即自的に存在する二種類の暗黒をかさねあわせなければ自分を統一体として感じることのできない人間の、圧縮された狭い情念の帯のことである。表現が自己の二重化であるように、彼の労働もまた暗黒の二重化であり、一塊の硬石《ぼた》すらはてしなく掛けあわされた憎悪と自己愛の結晶である。あたかも芸術家でない者が強制されて芸術創造をするときに似た、歓喜とすれすれの苦痛がそこにある。それはこの世における拷問の一つの形態なのである。

地金——暴力——精神的非生産性という常識のチャンネルがどんなにそれ自身非生産的なものであるかを三池は日本の労働運動のなかではじめて実証した。実体としてみれば、かくべつそれは不思議だとか奇怪だとかいうしろものではない。ごく平凡な争議行為を淡々と防衛しているだけである。けれども、そこにはこれまで日本の労働者が一揆主義的にしか表現しえなかった規格からはずれた感情のうねりを無数の小さな創意のつみかさねによって、あたかも核融合反応の平和的利用というような形へみちびいていく弁証法がある。法律くさくいえば正当防衛とよばれるべき性質の準備、肩に背負った青竹の水筒や長い木のパイプなどにはじまって海上にピケをはる「三池艦隊」にいたるまで、個人の実存と組織の実存をよりあわせてきらめきのぼる心理的格闘の曲折をいかに評価するか、整然たる抵抗派も実力抵抗派もそこらを規準にして主張するなら、もうすこし反応もはっきりするはずである。

暴力に対する反暴力としてあらわれている三池の「ますらおぶり」は、尋常の男らしさというものでもなければ、「たおやめぶり」の一回かぎりの倒錯というものでもなく、男性的なものと女性的なものが何度も倒錯をくりかえして自己を否定し発展させてゆく過程の中間駅として見なければなるまい。つまり非芸術家たる彼等に強制された、形なき芸術としての労働にふくまれる二重性をどこまでも追跡し、闘争のすみずみに対象化していくことによって、坑夫の地金のもつ千変万化のあやは苦痛のなかに浮びあがる。それは日本の民主主義に個性的な色や匂いをあたえる。三池闘争が荷っているもっとも重大な思想的意味はそこにあると考えている。

三池闘争が刺殺事件いらい、どれだけの解放感を九州の坑夫たちに植えつけたか、笑いの種子をふりまいたか、数えきれない。「鉄砲をもっていく」といってきかない老坑夫から「三池に浸ったまま帰ってこない」寮生にいたるまで、いれかわり立ちかわり大量にかけつけるオルグの希望者はまだあとを絶たない。「三池にゆかせねばマイトをぶちこむぞ」と組合長宅にすわりこんだ坑夫は、最近ブタ箱入りした小親分の跡目をねらって、三池でハクをつけてこようという魂胆だった。第二組合からの戦利品であるベレー帽をかぶって熱弁をふるう青年は、昨日まで自分のヤマに第二組合ができたら卒先するかもしれない分子だった。土方にいっている自分たちの方が三池の主婦よりお上品だということを発見してがくぜんとして寝ついてしまった坑夫の妻がある。オルグにいっている間に乱闘があれば「大吉」、なければ「ついていない」……彼等はロカビリイ歌手や革命家森の石松に瓜二つにみえる。だが彼等は半分だけ似ているが、半分だけちがうのである。彼等は自分の影をもっている。それをはっきりさせている。だからこそ、ここにはぐれん隊をまきこんだ警職法闘争の発展があり、その地点でさまざまな暴力とにらみあってたじろがない。では東京の「整然たる統制」氏の影はどこにあるか。「実力抵抗」氏の影はどこにあるか。それがはっきりしたとき、三つのデモは結びあう道を発見するだろう。影とはつまりコンプレックスを逆手にとった根性のことである。

警職法闘争の組織を形式的に安保闘争へひきつぐことしか考えず、その思想的内容をおのれの内部の警職法の打破として受けとることのできなかった「指導部分」は、社共両党を問わず進むべき方向とは逆にたてまえ論理一本に頼って「統制」を強化した。続々と小官僚の群が発生し、各地の合理化反対闘争は息の根をとめられた。「整然たる」後退の一つ一つがどのような道筋を通って事実上売りわたされていったか、大官僚たちがその真相を知ったなら、どのような顔をするだろうか。三池においてあのような闘いが噴出したのは、断じて幹部の指導よろしきを得たのではなく、そこに裏ぎりを許さない大衆とそれに一応答える幹部がいたからである。九州の坑夫たちが自分たちの血液をさしださんばかりにそこに集まっていったのは、自分のヤマにないものを見たからである。この期間に経営のサークルは一つまた一つと毒殺されていった。それへの闘いを有害として破壊した者はだれであったか。彼等は闘争の思想的基盤を労働者が自分の頭で考えようとする、その首根っこに斧をふりおろした。その証拠というべきか、帰結というべきか、たとえば炭労はこれまでかすかながら山元大衆の気分を反映していた『月刊炭労』を「三池闘争へ集中するため」と称して休刊した。これらの点について詳述する必要はないであろう。無数の活動家が自分の皮膚によって知りつくしている事実をいったまでのことである。私の怒りの重点は個々のイデオローグに対する中傷的なカンパニアよりも、むしろこのような思想活動の大衆的基盤を統一の名において破壊していくやり方に向けられているのである。

だがこの問題の解決はそれ自身が安保闘争の軸となるべき性格であるから、政党レベルの方針転換だけではいかんともしがたいほど根深く複雑な様相をはらんでいる。そのゆえに私はこの一年半を空しく煙草を吸う思いで耐えた。しかしその状況を批判している人々でさえ、統一のシンボルを憲法または議会制的民主主義に置くことによって実体のない運動をふくらまし、批判の意味を失うおそれがあるのをみて、私はもはや自分の欲求を全的に投入しうる微小な一点を確保するよりほかはないと観念した。不発だった二・一スト後の消極的状況が私を政治組織内に投入したのだが、十三年ぶりで私は政治的に個人となった。いわば力学的に無意味に近いこの地点から、私は新しい非転向の力学を建設するつもりである。

状況に参加しようとすればするほど参加の意欲が失われていく状況、裏がえせば、状況に参加しまいとする姿勢でしか参加できない状況。この感触にはおぼえがある。軍隊から帰ったばかりのときがそうだった。もしそうであるなら、私はいま二度目の復員をしたことになる。そんなぐあいに立ちつくしている私の耳に低くなまぐさくささやきかけるのはグァムの兵士の声である。

彼等の帰還と私の二度目の復員とはなぜ重なりあうのか。きっと私のなかにまだ帰りつかない一人の兵士が住んでいたのであろう。

天皇より十五年おそかった降服……このニュースは私の内臓をかきみだした。いや、二人は降服したのではない。捕えられたにすぎない。捕えたのは「土民」であった。アメリカはそれを引きとっただけである。彼等にとってミズーリ艦上の署名などはナンセンスなのである。新憲法感覚というがごときものにもむろん一分の責任もあずかっていない。彼等が得たものは藪のなかのおきて、それだけである。一人が木からすべりおちて足をくじいた。おきてからの小さな脱落が彼をとらわれびとにした。アメリカ軍に引渡されても、彼等は降服ではなく自殺を考えている。なぜか。その理由を完全に照らしだすことは容易でない。戦陣訓を暗誦したのはそれが彼等の知っている唯一の哲学だったからである。だから、それが天皇ではない別のあるものへの忠誠であることはあきらかである。

「このままでは死の危険は濃い。しかし外に出てつかまればかならず殺される」と前提する彼等は、「友がいなくなれば生きること自身が無意味だが、友がいるかぎりやっていける」という公理に達する。この前提と公理の間にはなんの感傷もはさまれるすきまはない。生きるということに最初の意味が与えられるのは、一人でないという事実だけである。だから、彼等を笑いたい者は彼等が樹てた前提の愚かさを笑うよりほかはない。一度その地点を越せば、そのあとには寸分のすきもなく構成された十六年の時間があるのである。

したがってまず驚歎させられるのは単なる仮設である前提がついにゆるがなかった、その確信の強大さである。それが天皇制や祖国といった自己の外なる抽象への傾倒で成り立つはずがあろうか。もしそうであるならば、彼等はもっと不用意に攻撃し、いちはやく殲滅させられたにちがいない。しかし彼等は一度も攻撃したり、外へ出たりしようとはしなかった。足跡を消し、息をひそませて生きつづけた。

絶対に無力なものの防衛がかくも比類のない完璧さをとって、かくも長期に敗北しなかったという例は世界史のどこにあるだろう。勝利してしまった敵の気のゆるみがあったとはいえ、防禦力としてみれば井崗山やスターリングラードにまさるともおとらない。これほど完全に包囲されて、なおかつ降服しないでやっていける、すくなくとも一人の友さえあれば——という精神の意味するものは何か。まるで抜きとり検査のように偶然につまみだされた平凡な日本人の異常な行為体系は、しばしば日本には固有の形で存在しないといわれる抵抗の、民主主義の原基形態をみごとな純粋さで経験的に提示したものではあるまいか。

もちろん彼等の「二人の共和国」——それはもはや再び地上にあらわれることを期待できない最小の持続的な共和国である——は十六年間日記を書きつづけ、各種の素材を利用し、さまざまな律法をうみだし保持する、教育された知力なしには建設不可能であったにちがいない。同時に彼等がおのれの信じた最初の仮設を疑う種類の人間であったならば、今日も明日も敵の眼を意識してやまないこの小国の存立はありえなかったとたやすく推定することができる。いわばそこに声なき民の全き現象化がある。それを可能にしたのは、彼等がただ一箇の民族社会しか知らず、しかもそれを技術的によく知っていたからであろう。

彼等がどのような程度に自分たちの熟知する唯一の民族社会を赤道下の島で模写することになったか私はよく知らない。だが三人ならばともかく、二人しかいない以上、絶対主義天皇制がありえないのは当然である。もとより代議制も存在しない。彼等はなんらの間接性を伴わない民主主義を強制される。この強制は最大限のものであるから、彼等が対象化するのは彼等の潜在能力の全側面である。彼等はたまたま自分のなかに蓄えられていた、くだらない常識の破片で一つの完結した世界を構築する。そのなかに拘束を解かれた私たちの民族の抽象的な共通項、どこまでも自分の外にはみでることのない原理的様式のすべてが投入される。

みずから選ぶことなく、再現を迫られた故郷――受身の日本。それはたとえば指の鳴らし方や貧乏ゆすりといった反射運動にちかい部分に集められた歴史社会的な因子によって構成される。ほのぐらい密林の昼を吸って十六年間存在しつづけた純粋日本は、他人がかいまみた瞬間に溶けてしまうもろさのゆえに、ワイマール共和国の運命をたどることがあらかじめ予定されている。だが、そのもろさは責められるべきではない。それだけが彼等を生きのびさせた理由でもあるから。

そして、ほろんだのは藪のなかの純粋日本だけであったろうか。戦後日本はどうだったか。藪のなかのおきては一度も降服しなかった。うら盆や正月をなぞって作られた二人だけの南海共和国でさえもそうであった。そこにあるのは帰還するかしないかという問題だけであった。彼等が帰還できないという仮設を疑わなかったのは、帰りつく必要が究極の地点でほとんどなかったからであろう。たどりついた任意のそこに、自己の世界を建設する能力で万人が一様であるわけはない。だが勝敗の観念を棄てさえすれば、すなわち自分をくつがえす力を逆支配しようとしなければ、だれのてのひらにも他人の侵すことのできない一滴の禁漁区がのこる。この極小の禁漁区を守る方法は二つある。一つはかつての偽装転向を純粋化した形で考える際の降服無限大、敗北ゼロという道であり、一つはグァムの兵士のように敗北無限大、降服ゼロという道である。

安保闘争を思想史風に位置づけるとすれば、もはや偽装転向のもつ生産性が急速に減少しつつあるということであろう。面従腹背は二重構造を四十五度傾かせるのに有効な方法である。しかしそれはまた反体制のなかの二重構造的要素を拡大する。二重構造の逆用を一定の限度内におさえなければならない時期になった。(それは限界内での活用がますます必要になることと平行する)けれども今日の共産党や全学連が明日の獄中非転向とならないためには単にポジティヴであるばかりでなく、受身の形の純粋非転向と結ばねばなるまい。すなわちわれらの中なるグァムの兵士と対話することなくしては、安保闘争は三池闘争の水準を越えられない。私たちが直面しているのは藪のなかの共和国をふくむトータルな日本の止揚であり、その鍵もまた藪のなかにある。

——ここまで書いたとき、国会デモで女子学生の殺されたことをきいた。もはや書きつづける気がしない。彼女の血はいたずらに乾いてしまうかもしれない。しかし私は彼女が死んだ夜のことを忘れないようにしよう。

（一九六〇年七月号「思想の科学」）

定型の超克

一　八月の思想状況

八月。人々は首都のうす暗く、よごれた熱気の奥で悟りそこねた仏のような顔つきをしている。ふだんなら、全身のすみずみまで機能化しているという自信で前に転びそうな種族が、のろくさい動作で冷いものをあおり、うつろな眼つきをしたかとおもうと、突然じゅずつなぎになった暴言を吐きちらす。すべての方針、すべての行動、すべての組織、すべてのイデオローグへのふんまんがうまく立体化されてこないもどかしさを圧縮しようとつとめる。だが、そこにはなにか涸れた井戸を汲もうとするひびきがある。そして記憶はすでに遠い星雲でしかない。ざわめく六月をかすめて飛びさったものはいったい何であったのか。あとに残されたこの宿酔と渇きの意味は何なのか。ようやくにして東京はアジアにふさわしい町となった。すなわち、どれほど失走する命題も一定の条件をつければなにがしかの有効性をもち、その反命題もまた同等の価値を所有するという奇妙に清算的な事態を眼の前にして、人々は架空の暗殺、無意識の放火にふけっているのだが、しょせん黄色い皮膚のひときわ神経質でめだたない伸縮にすぎないかにみえるこの思惟の劇には、アジアに特有な帰属感の動揺がある。

たとえば私がこういうとする。——野坂参三とか浅沼稲次郎とかいう人は、すくなくとも一ぺんぐらいはわざとでもつかまってみるのがよかったんじゃないですかね。全軍の士気を鼓舞するためになんてものじゃなくて、ちょっと気のきいた選挙運動としてね。

そ、そうですよ——と相手はあわてて賛成する。——彼等にそんな構えがないのはたしかだけれども、つかまるのはいいな。

——あの人たちはまあ、今度のようなときのために温存してあるシンボルと考えていいし、そもそもケンカには冷静な挑発というものが必須である面がありますからね。

——賛成だなあ。大賛成だ。

——ついでに騒乱罪を適用させるまで挑発のしっぱなしということだったら、どうだったでしょうね。ひょっとすると、せめて石橋内閣の線まで招きよせるには、それが唯一の方法だったかもしれませんね。

そこで——騒乱罪か、悪くはないな……というふうにはすらすらと会話は運ばないのがふつうである。もとより断乎たる否定もない。さまざまな呼称と形容をもった主張のせめぎあいが彼の内部ではじまる。彼が加担していた戦列はどこにあったか。代々木・共同・革共同・鉄の戦線・全学連主流派・反主流派・国民共闘会議・民学研・六月行動委員会……それらのどこに焦点を結んでいたか。当然のことながら、これらの組織もいくどかの動揺を経験せざるをえなかったし、彼自身の意識もあるときは焦点を拡散し、あるときは揺れうごいたにちがいない。それを恥じる必要はない。だが、そのあとにひっきょう何が残ったかという問に、「騒乱罪」は意地悪くからみつくのであろう。

そもそもこのような遊戯にひとしい真正挑発論議を一刀のもとに切りすてることができず、ついジャパニーズ・スマイルをもって応待せざるをえないところに現状況の特色があるわけだが、それはさらに次のような会話に移行させることも可能である。

――ハガチー事件は共産党が事前に計画したのではなく、したがって先方は何の情報も持っていなかった。だからこそヒョウタンから駒が出たのだという説がありますが。

――ありうることですね。

――そうすると、先方は共産党についての情報にかなり自信を持っていることになりますね。

――そうなりますな。

――つまり、かなりの位置にスパイがいるということでしょう。

――ええ。

――じゃあ共産主義者同盟はどうです。

――いるかもしれません。

——いるといないのどちらに賭けますか。

——まあ、いるでしょうね。

——だとすると、こういうことは考えられませんか。さまざまな組織に入りこんでいるスパイたちが、スパイ戦線を統一して整然と活動すべし、いや主体性のない無原則的な統一はナンセンスだとかいって抗争しているかもしれないということは。つまり、こちらの事態をそっくり裏返したような現象があちらにも起っていると……

——面白いですねえ。

——それじゃ、いわゆる前衛部分をそれぞれのスパイが牛耳ってるとしますよ。単なる仮定ですがね。そのばあい、スパイ陣営が統一した方がこちらに得でしょうか、それとも損でしょうか。

彼はだまって私を見あげる。ばかげたことを考えるやつがいたもんだ。無方針こそ現段階における最高の方針とでもいうつもりか。それともスパイの逆利用という点まで意識性を徹底せよというのか。

いずれにせよ——彼はとびあがる——おれは状況に参加しなければならない。加担する勢力を持たなければならない。しかし参加とは何か、加担とは何か。相対的な、あまりにも相対的な選択が状況への突入といえるだろうか。無党派がすでに一つの党派的領域であるときに、純然たるタブラ・ラサであるためには、むしろ全学連主流派を支持する共産党員、あるいは特定の共産党員との協同を認める共産主義者同盟員、でなければ無党派メンバアよりもさらに無党派主義であるパルタイ員、パルタイよりもなおパルタイ的である無党派メンバアといったぐあいでなければならないのか。六月の渦の中で起った、求めざる心情の二重所属はまだ消えていない。

前衛的エネルギーはごく現象的にいって三つの停留所をもっている。パルタイ的多数派（共産党）内の少数派、パルタイ的少数派（共同、革共同）、反パルタイ的少数派（前二者のどちらにも参加しないコミュニスト）——この三角形のどの稜角が今後につづく一時期を貫通する、もっとも鋭い尖端となるかはまず問題の外におくとして、前衛をめぐる分裂現象がこのような形をとったのはちょっとした壮観であり、それらをつなぐ意識の管のなかを憤怒にみちたエネルギーがゆききするのを見るのは悪い眺めではない。自分自身を前衛として規定していない部分も、三つの構成因子のひっぱりあいのどこかに関連した位置を設定すべくせまられているといってよい。

だがこの三稜角は単純に組織を基礎とした分類にすぎないから、やがて綱領または綱領を支えている原則的姿勢の差によって編成しなおされるにちがいないのは当然である。とはいえ、これらの組織的稜角がどのような思想的稜角に転移してゆくか、そしてこのエネルギーはいついかなる単一組織をうみだすか、あるいは究極的に複数の併立関係にとどまるか、そのいずれにせよ前衛とよぶにふさわしい質と量の結集が可能であるか——といった諸命題はなお各人の広汎な選択に任された流動する領域となっている。

したがって、未来を構成する既知の部分——過去の数年から現在にいたる軌跡によってほとんど確実に予測できる部分は、未知の部分——現瞬間では測定不能であることが確実に判断される部分に比してうたがいもなく小さい。というよりも、現在までの軌跡はあきらかに日本の前衛の再編の不可避性という課題のほかには、なにひとつ決定的な因子が存在しないことを証明している。分りきったことのようではあるが、これまで既知数から演繹された未来しか持たなかった前衛が、いちおう既知数と未知数のバランスシートの上に立ってそのフォルムをこわし、予測不能の必然という側に重点をかける道筋があらわれはじめたことは日本の革命運動史にとって空前の事態である。つまり前衛という概念の「古典的」規定性は確実に破れさったといえる。

浮遊状態にちかい少数派のそれぞれの運動が潜在的に連合し、すでに前衛としての本質を喪失し終った定型的組織と正面から対立する相関関係を保つことによって、好むと好まざるとにかかわらず一定期間の奇妙な道行きをつづけなければならないのは、ある意味で五〇年分裂問題の再現といえないこともない。しかし、五〇年分裂問題が終局において規約論に凝結されたのに対して、このたびは定型的思想を反定型的思想がのりこえるかどうか、という姿で提起されているところに比較を絶する深刻さがある。

もちろん反定型といっても、それが単なる無定型であるはずもなく、それぞれ既成の命題と関連しあって提出されているわけではあるが、それがトロツキーであろうとルフェーヴルであろうと、またフロイトであろうとサルトルであろうと、自分自身と一定の間隔を保ってとりだされているところに重大な特色がある。この距離感覚が権威からの肉離れと自己への復帰という意味では健康な、しかし思想的帰属の不明確さ、ひいては組織への心情的二重所属をみちびきだす点ではマイナスの原因となっている。

今日の前衛的エネルギーがこのような状況に置かれているということは、それがなお一定の音韻法則のごときものを伴いながら、思想運動の基本構造を求めて流動しつつあることを示している。この事実を、なぜ一九六〇年にいたって、かかる前衛の分裂あるいは無定型化現象が起ったのかという問に対応させながら、歴史法則的に追求することは欠くべからざる作業であろう。

しかし私はいま、この作業は他人に託して、むしろ運動の力学のモデルをエネルギー効率論ではなく、エネルギー本質論として考えていくことに情熱を感じる。すなわち、目下噴出しはじめている定型打破の運動はその性格のゆえに、たやすくパルタイ的集中に移行することはできない。とすれば、それは一種の綱領なき運動という逆説に耐えぬく、定型の外の範型を求めなければならないからである。

二　安保闘争の倒錯性

だが安保闘争を支えたエネルギーの質は何であったかという問題を考えるためにも、さしあたって次のことには触れてみなければなるまい。そもそもこの闘争の過程で起った前衛的エネルギーの分裂は、安保闘争がひきおこした副産物であるのか、それとも闘争の主題そのものにかかわる必然の結果であったのかということである。

新条約が戦後における権力構造の変化の過程に位置を占める重要な契機であることは異論のないところである。したがって、それへの闘争は戦後十五年間の反体制勢力の綱領的認識に沿って組まれなければならない。しかるに共産党第七回大会の経過でもあきらかなように、それは内部にはげしい戦略段階論としての対立をふくんでいた。その対立はさらに二段階戦略論の一般的否定という形をめぐる対立にまで発展した。綱領的認識を統一しうる見通しなくして、すぐれて綱領的な課題を闘わねばならなかった点に、最初の大きな矛盾があった。

しかし、その統一がなければなんらの行動も組めないと考えるのはもちろん軽率な判断である。新条約は一面において日米同盟の新しい段階を示すものであったことは疑えないとはいえ、他面それはしばしばいわれたように開国条約以来百年の支配的思想態度に連続するものであり、あきらかに日本現代文明、あるいはすくなくとも戦後社会の思想原理に対するトータルな否定をみちびきだすものであった。綱領的認識が重要であり、しかもその一致が早急に望めないがゆえに、闘争の精神的主題が重んぜられなければならず、その面での認識の共通化はそれほど困難なはずはなかった。すなわち闘争が、アメリカの軍事権力による「保護」から出発した戦後の反体制陣営に色濃く染みついている、従属的な精神の諸特徴を痛打する「意識の革命」として進行させられたならば、それは一面でアメリカ帝国主義からの国民的自立を唱える部分にふくまれている思想的自立への意欲を満足させるとともに、他面では二段階戦略論の改良主義的頽廃に鞭打とうとする急進性にも共同行動の可能性がひらけるはずであった。いわば全反体制陣営の抜本的、階級的な「体質改善」という課題が闘争の主調音を形成するならば、分裂した綱領的認識をその土台から、反テーゼ的潜在部分から、よりあわせて一定の協同関係を得る道が存在した。そうでないかぎり、安保闘争は闘争たりえない運命にはじめから置かれていたのである。

権力の側からする攻撃も、この二、三年というもの勤評、警職法、合理化などすぐれて意識の面に重点をおく一連の主題を選んできており、それに対抗するには単純な形式に動員する行動方法をもってしてはいかんともしがたい状況にあった。そしてまた、警職法闘争の一応の勝利に経験したように、もし闘争の主題が大衆の実存を触発することに成功すれば、権力の前進を停止せしめるくらいの程度にはすでに大衆の政治感覚が発達しているという証明ずみの事実があった。したがって反体制側がとるべき路線はただひとつ――戦後十五年間の革新運動の病弊を清算し、大衆の内発性と自律性をどこまでも拡大しようとする力の延長上に安保闘争をすえることであった。

しかるに事態は、百八十度逆の方向に進行した。闘争は反体制側の内面の非生産性、反民主性を蔽いかくす葉っぱとして利用された。綱領的認識の不統一という問題を論ずること自体「修正主義」であり、労働組合の反民主性を批判する者は「左翼挑発者」であり、ひたすら上からの官僚統制に歩調をあわせることが思想闘争であった。あたかもそれはエチオピア戦争のさなかに、国論を統一するためひそかにイギリスのローマ爆撃を要望したムッソリーニのごとく、新安保の危機をふりかざして反体制陣営内部の矛盾を圧殺する方向、安保闘争そのものが反体制を強化する方向をとった。

必然に闘争がはげしくなればなるほど、行動の画一的な紋切型の強制は執拗をきわめ、下部の創意をふみにじった「統一」「民主集中」のスローガンが横行し、闘争の内容は急速に空洞化していった。はっきりいって、安保闘争における社共両党——国民共闘会議という指導ラインは、ないほうがよかった。それはただに盲腸的存在であったばかりでなく、重大な時点で新安保条約の推進者であり、権力の別働隊となる客観的役割をさえ果した。それはすでに闘争の出発点において用意されていた矛盾の顕在化にほかならない。

安保闘争は最初からおそるべき思想的荒廃の上に立っていた。それは敵との闘いという名目をかかげた反対派絶滅運動であった。単に反対派の絶滅ではなく、そのようなスタイルをとった思想の否定運動であった。警職法闘争に前後して起った「トロツキズム」問題、『現代の理論』発禁にはじまる「修正主義」問題はいずれも上部が論争の可能性を断ち切っておいて、まず組織処分からはいっていく五〇年分裂いらいの悪弊を再生産した。五〇年にはその組織処分が規約の形式上からも誤りであったが、今度はその形式的解釈にかなっているというだけのちがいで、ことの本質は何ひとつ変っていない。規約の真髄はむろんその形式性にあるが、そのゆえに形式への形式的解釈は規約の死滅を意味する。

前にも述べたように、安保闘争は分裂した綱領的認識のもとでいかにして綱領的課題を闘うかという、深い矛盾のなかでの戦闘であった。もしこのテーマから離れるならば、強制された開国（明治維新）と強制された民主主義（敗戦）をつなぐ共通項としての安保体制の否定は、皮相な民族主義に転落せざるをえない。その道を日本共産党がまっさきに走っていった。そして多くのイデオローグたちも、岸内閣を批判してさえおれば良心が免責されるかのような錯覚のもとに、結果として統一戦線に関する無葛藤理論に奉仕したのである。

思想の次元に限られた内部対立こそ安保闘争を闘争たらしめる前提でなければならなかった。しかるに事態は逆に闘争の頂点で思想外的に対立が噴出するという現象をまねいた。いわゆる既成公認指導部にたいするふんまんがデモ隊の行動をあおりたてた。それは闘争の出発点において指導部みずからが闘争の起動力として計画的に手中に収めなければならないエネルギーであった。だから安保闘争はあきらかに倒錯した闘いである。本来ならば正であるべきエネルギーが負の形でしか対象化しないという苦痛、その苦痛をになうがゆえに冷く奔騰している力を、自分たちの指導に対する支持・共感にすりかえて片手にソロバンをにぎりながら悦に入っていた社共両党の愚かさは長く後世まで記憶されるであろう。

このように、重大な闘いが倒立した構造で組成されるとき、そして長い期間にわたって下部の意欲が抑圧され、しかも形式的な行動が強いられるとき、そのエネルギーが、ある間隙をみつけてニヒルな——つまり精神の実存状況を容易に対象化しえない陰性な形での爆発となるのは理の当然である。五月一九日以後起った高揚は、六月一五日までのほぼ一月近くこのような意味でマイナスの爆発の連続を示すものであったと考えられる。すなわち、それはある中心部へ向けて周辺のエネルギーを吸いこんでゆく渦の生成過程であったのだ。

この渦をひきおこした原因はうたがいもなく反体制陣営の思想的空洞化であり、六・一五の大陥没まで空虚さの拡大という一途をたどるほかはなかった。五・一九以後に起った大衆のダイナミズムを岸内閣の行為からのみ説明しようとする態度は事態の単純化であるばかりでなく、そのエネルギーの質的規定を誤まるものである。彼等は怒った。しかしその怒りは意識すると否とにかかわらず、岸内閣と反体制陣営との間によこたわる、言葉につくしがたい微妙さで感じられる共通の秩序感覚を攻撃し、攻撃しつつなおそのなかに吸いこまれていたのである。

三　三池に出現した「軍隊」

安保闘争のエネルギーの質を考えるにあたって、具体的な対照例となるのは三池闘争であろう。それは何よりも社会の同一時点で噴出した二つの抵抗部分だからである。そしてこの二つの闘争は、指導者たちの説得にもかかわらず、それに参加した大衆からはまったく別なものとして受けとられた。

——三池の風は吹くが、安保の風はさっぱり吹かぬ——九州の坑夫たちは口々にそういっていた——総評のオルグが二時間も安保と三池の関係についてしゃべりやがって、ちきしょう。

——それで安保と三池はつながったかね。

――つながるも、つながらんも、おれたちはケンカをしにいったのよ、ケンカを。
――君自身はどう思うのだ。
――おれは関係ないと思うね。

すべての闘争を目標や条件の区別なしに結びつけてしまういかさま論理に彼等は反撥していたのだが、その理由はよく分らなくても両者の感触がまるでちがうことを彼等は知っていた。このちがいはどこからきたのか。

全炭鉱の合理化反対闘争が手足をもぎとられ、三池闘争という一箇の眼玉だけにしぼられていく過程は、文字通り炭労指導部のむざんな潰走のコースであった。それは大手筋の炭鉱にもたれかかってきた炭労が、それに先行する中小鉱の凄惨きわまりない企業整備への自然発生的な反抗をおざなりのオルグ派遣などの対策で事実上まったく放棄したとき、すでに確定していた道筋であった。外濠を埋め立てられてしまった炭労に対して、資本家が杵島・二瀬・三池の三山を突破地点として戦いを挑んだ瞬間に残されていた問題は、この敵の拠点的な指向を受けとめ、戦線をさらに中小鉱へ向けてひろげることであった。しかるに炭労はいちはやく杵島を脱落させ、『アカハタ』とともにこれを「偉大な勝利」と唱えた。その実、「戦線が広すぎると手にあまるから、整理せざるをえない」というのが本音であり、そのように発言した指導者もいた。杵島の脱落は闘争経験の乏しい二瀬の自信を喪失させ、山元指導部は潰乱した。「三池にしぼる」ことを既定方針としていた炭労指導部にとって、むしろそれは物怪の幸いであった。はじめから「手のかかる弱い組合」を支援して問題を追求する気組みはまったくなかったのであり、同様に三池に対しても「面子の立つまで戦う」こと、すなわちどこかで面子を立てることだけが目標だったのである。事態は彼等の希望通りに進んだ。すべては三池に集中することになった。もちろん正常な意味での集中ではなく、そこだけがいわばディエン・ベン・フーのごとく孤立した島宇宙となったのである。

このような二つの闘争の指導の過程は、幅広く戦えるためにという理由でつぎつぎに闘争目標を引き下げてゆく点で符節を合している。それがさほどいちじるしい下部からの公然たる反撥なしに三池までひきずられていった理由はどこにあるか。それは戦後の炭坑夫の存在と意識の関係から解くことができる。

そもそも戦後の炭坑夫は、定着しまた流浪してきた代々の坑夫と農漁村からの出身者に加えるに、戦後引揚者が相当量加わっており、この引揚者は植民地または都市から小市民的感情をもちこんできた。それは戦前の炭鉱にはなかった心情的要素であり、一方では論理的表現力をそなえた合理主義の気風をみちびきいれるとともに、他方では坑夫の土着的エネルギーを小市民的に分散させる役割を果してきた。炭鉱労働運動はつねにこれらの三要素の対立・反撥・相互浸透・妥協の結果を忠実に記録してきたのであるが、戦後資本主義の立直りとともに大炭鉱ではしだいにこの外からもちこまれた「市民主義」が浸透し、土着的エネルギーの外被となり、一種の擬似市民的感情がリードし、そこから生れた擬似論理が階級論理として流通する姿を生んだ。炭鉱労働運動を主導する、この擬似市民論理＝擬似階級論理は、大手炭鉱における歴代の坑夫や農漁民出身者に上向的な幻想をあたえ、坑夫本来の土着的階級的エネルギーを凍結するにいたった。合理化反対闘争における指導部の論理はつねにこのような労働者の自己欺瞞のサイクルに合せることによって、あわれな支配をつづけてきたのである。

この点では三池労組も例外ではなかった。いや、そのもっとも典型的なケースですらあった。三池炭坑は日本最大の炭鉱であり、他の炭鉱群と離れて工業都市のなかに存在し、炭労のなかにおける宗主的権威と独立王国的心情によって支えられていた。それは向坂教室の啓蒙スタイル、いわゆる労農派理論の単系性、知識人くさい教条主義とほどよく見あって、農漁民や土着坑夫を感服させはしても、彼等自身のエネルギーを直接に対象化することのない整序されすぎた指導方法をもっていた。その意味で、三池は敗走しつつある炭労内の擬似市民主義の最後のとりででもあった。

しかし三池は他面、三井独占資本の奥深くしつらえられた重層的な構図をもっている。昭和初年までここでは囚人労働が行われていたし、また沖縄に接する与論島の出身者がある種の区分された意識をもって密集している居住地もある。このような深部に滞留している土着的エネルギーと擬似市民主義とが一定の微妙な間隔を保ちながら、無葛藤的に共存していたのが三池の団結の内容であった。もしこの双方が単に情念的に対立するならば三池労組の統一はさらに早い時期に崩壊していたであろうし、またこの断層をそのままにしているかぎり、統一の実体がきわめて形式的な限界にとどまるのも当然であった。

両者の均衡は第二組合の誕生とともに崩れていった。第二組合に走ったのは近郊農民の性格をもつ通勤労働者、グレン隊化することで都市的ふんいきをもとうとする青年層、小市民的プライドからぬけきれない中年層などに多かった。比重は刻々と炭坑夫本来の土着性の方へ傾きつつあった。そのとき三月二七日の三川坑衝突事件、翌日の久保清刺殺事件が起きた。土着的エネルギーは奔騰し、擬似市民主義の上部から下部の土着性への回路は逆転し、解き放たれた底部で貧農漁民の共和主義と坑夫の無政府主義とが結びついた、強烈な体臭をもつ世界が形成されていった。

この転換はどのようにして成立したか。この契機をうみだしたのは刺殺事件であった。前日、第二組合の入坑をふせごうとしたピケ隊は腹背からの攻撃を受けて一旦潰乱したが、かろうじて立直り、相手の武器を奪って繰込場に突入、制圧した。この経験からピケ隊は指令を待たず、それぞれ自衛の手段を講じた。しかし、警察の申入れをいれて、翌日の午前中には組合指令により一切の武器は集められ、焼きすてられた。その午後にひとりのおとなしい労働者が刺殺されるにいたって、再び指令によらない武装が一夜にして整えられた。この瞬間に、闘争の質に関するもっとも重大な決定が組合統制によらない方法で決定されたのである。

労組機関はこれを妨害しなかった。いや、何びともこの瞬間に逸脱をおそれて武装解除を説くことは不可能であった。それは擬似市氏的なスタイルをとった戦後の労働組合運動が決定的な瞬間ではいかに無力であるかまざまざとみせつけた、このうえもない見本であった。この日、現地にいた目撃者として私は証言することができる。この日こそ万を越える大衆が戦後労働運動のワクをのりこえた、決定的にのりこえた日であったことを。それはもはや単なる労働組合の体系にとじこめられた運動ではなかった。防衛的であるにせよ、かくて三池は戦後はじめて躍りでた労働者の自然発生的な武装闘争となった。

わが国の革命が暴力革命のスタイルをとるか、平和革命のスタイルをとるかといった問題をあらかじめ想定することに、目下のところ私はあまり興味を感じないが、しかしそれがいずれにせよ議会の多数派を獲得するといった路線に主軸を求めないことは明白である。そのばあい三池が示した「暴力的平和コース」の様態は、その裏側に仮想しうる「平和的暴力コース」の形相をふくめて、ある種の影像を刺激せずにはおかない。私たちは自分の軍隊の姿を、といって悪ければその前駆的形象をはじめて眼のあたりに見たのである。

端緒的ではあるが、大隊単位の部隊編成がなされた。大隊長のいるところ大隊旗をもった労働者がしたがい、くりかえし演習が実施された。三池艦隊とよばれる木造船の海軍が登場した。最高潮時には二万人の第一線戦闘要員と家族をふくむ一万人の補給要員が組織され、炊事から衛生にいたるまで、この三万人の戦時編成師団はほとんど想像もできない滑らかさで活動した。これは私たちの「赤軍」であるのだろうか。「前衛」党はこの武装にある種の法律解釈のほか何の積極的方針も出さず、アカハタ売りに浮き身をやつし、元憲兵准尉といった大隊長のかたわらには政治委員の影さえみえないからといって、これは菜の花におう耶馬台国の白日夢にすぎなかったのだろうか。

それにしても、何人も予想せず、評価すら加えられないままにあらわれ、消えていこうとしている人民軍は愉快な軍隊であった。指導の上部にいくにしたがって軍隊のおもかげはなくなり、ただの労働組合にすぎなかった。しかし底部にいくにつれて、それは実体としてまごうかたなき軍隊であった。大衆は進んでそれぞれの分隊長や小隊長の決然たる指揮を要求した。「特別警備隊」略して「特警」に選ばれることを若い坑夫たちは至上の名誉と考えるのだった。さまざまなアイディアが独自に放胆にとりあげられ、創造し、模倣し、あのホッパー・スタイルというような制式がうみだされた。事実、覆面ひとつで被逮捕者の数はいちじるしく少くすることができた。軍隊というスタイルをとった、下部からの組織化の方向なしに、三池がこれまで隔絶していた中小鉱をふくむ坑夫の気分とあれほど密着することはとうてい考えられなかった。それは三池を支援する他の炭鉱、とくに中小鉱で、シュトウルム・ウント・ドランクとでもよばなければならないような熱狂をひきおこした。

では、この軍隊的発想はどこから思いつかれ、借用されてきたか。いうまでもなく、赤軍や八路軍ではなかった。あきらかにそれは敗戦以前の日本帝国主義軍隊であり、戦中派の体験がその支えとなっていた。たとえば一全逓労働者は次のように報告する。

――ホッパーから緊急事態を知らせる打揚げ花火があがり、隊の後列は隊長に伝令を飛ばすと、すぐさま救援にかけ出しました。M隊長はあわてて僕らをとどめると、後列を呼び戻しに走らせ、隊伍を整えさせて人員点検を命じます。しばらくたって、やっと後列が戻ってきます。「隊長の指示がないのに勝手な行動は許さんといったのに、わからんか。隊の前列は頭であり、後列は尻尾である。そして自分は眼である。いま後列が勝手に行動を起したが、これを称して尻切れトンボという。わかったか。」

——「そういうことでは戦争には勝てん。帰ったら勝つ方法を自分が教えるからよく肝にめいじておけ」。支部に帰りつくや彼はさっそく例により人員点呼を行い、隊を解散させたり集合させたり、ひとしきり訓練を行ったあげく、「自分は好きこのんで大隊長になっているのではない。いまもしだれか自分の代りにやる者がおったら喜んで交替する。しかしだれもなるものがおるまい。だから自分がやる。今日はこれで解散する。各隊わかれっ」。さて一同唖然として不得要領のまま宿舎に引き揚げましたが、ついに戦いに勝つ方法を教えて貰えなかったようです。(〈サークル村〉六〇年五月号——『われら傭兵』福森隆)

かつて憲兵准尉であり、いま総評のはりつけオルグであるこの大隊長にとって、戦争とはいかなるものであるかは、この「訓示」にあまりにも歴然としている。だが、大衆自身もまだ作戦要務令や歩兵操典を越えるだけの戦術思想をもたないことを認めて、一定の幅でかかる指導を消極的にうけ容れる。それは擬似帝国軍隊であるとともに、擬似解放軍である。その限りでは擬似市民主義と土着エネルギーの一定の距離を保った同調という、これまでの労組の体系となんら異るところはない。この距離感を指導の側が冷静に測定しえないのに、大衆の側は感性的に知覚しているという関係も変らない。しかし、それはまず下部のイニシアティヴで選ばれた関係であり、さらに労組の体系が曲りなりにも軍隊の体系に移ることによって責任意識の全面的・根本的な変化が存在するのである。

擬似市民主義──→土着エネルギーから、擬似軍国主義──→擬似解放軍へという変化は、三池闘争の性格を規定するもっとも重要な指標である。この展開によってはじめて混沌たるエネルギーの自噴する道がひらかれた。それは戦後労働運動がいわゆるポツダム組合的上部指導の仮装を脱ぎすてていくときの変容ぶりを部分的ではあるが、カラを脱ぐ蟬のようにあざやかに、可視的に示した。階級的には雑軍ともいえる部落解放同盟の戦闘性に脱帽した坑夫たちが、彼等を「解放軍」と略称したのも、この間の事情からみるとき、ゆえなきことではない。

私はなにも軍隊というイメージに固執しているのではない。ただ、労働者階級が戦後の労働運動の経験主義的秩序からはみだして、自律的におのがエネルギーを噴出させたとき、そのアナーキーな流動をいちおう包括しうるシステムは、彼等の記憶と理念のなかに存在する軍隊でしかなかったということを指摘したいのである。しかもなお、七月二〇日のあっせん受諾か否かをめぐって、この軍隊は指導部の白痴をよそおった戦線放棄を糾弾する一声もあげえなかった。それはこの軍隊の頭部がなお労組の体系に包みこまれていたからである。

四　ニヒルとアナーキー

にもかかわらず、三池闘争はある貴重な一点で安保闘争の水準をはるかに凌駕していたと私は信ずる。

なんとなれば、三池闘争がとにもかくにも熱っぽい否定のエネルギーをもって擬似市民主義の塁をひとたびのりこえたのに対して、安保闘争は冷やかな否定のエネルギーによってその城壁を破壊することがついにできなかったからである。ここに二つの闘争のエネルギー本質論的なちがいがある。すなわち、三池は坑夫の生産する兵士としての神経反応がコンミューン風の共和精神に裏うちされながら、無政府的にエネルギーをあふれさせたのに対して、安保は首都の都市住民としての反応がむしろ無階級的に流出するにとどまった。総体として一はアナーキーであり、一はニヒルであった。この差は闘争主体の存在形態に深くかかわるものであろう。それと同時に、闘争の主題による避けがたい性格の相違もある。

しかし、まったく同じ時期に起った二つの大闘争がエネルギーの質的規定からいって、かくも対照的なあらわれ方をするということは、なによりも日本の大衆を横ぎっている亀裂の深さを示すものといわねばならない。そしてこの現代日本社会の双面を同時に見ることのできる眼が欠如していることで、さらに二次的な陥没がうまれているのである。したがって一般に経済学的な尺度からだけとりあげられてきた日本社会の二重構造という観点は、より包括的に文明へのトータルな批判を行い、その意識的・制度的・歴史的分析をあわせて解明されなければならないであろう。なぜならこの二重性を単純にきりすてることから出発した戦略認識も、二重性に追随した戦術認識もともに現状の根本的変革に役立たないからである。パルタイ的多数派もパルタイ的少数派も、この点に関してはほとんど盲目にちかいといってよい。

問題は日本の労働者が決定的な事態に直面したとき、かならず擬似市民的ニヒリズム（低度のニヒリズム）と土着的アナーキズム（低度のアナーキズム）とに石鹼水のような不透明さで対極分解するということである。安保闘争では、決然たる労働者であろうとして労働者たりえず、さりとて上向期の資本主義がうみだした精神のレベルでの正統市民であろうとしても市民ですらありえない――意識の面での階級不在＝自己不在という現象に対する、だれに向けようもないマイナスの怒りをつきつめて、その極限状況から土着のエネルギーと嚙みあうことが必要であった。そうでない限り、ニヒルに現象したエネルギーは結局空転し、せっかくその密度を高めて擬似市民的な限界を突破しかけた否定精神は再びもとのさやに収まるよりほかはない。そしてあとには、土着アナーキズムの奔騰よりもはるかに不毛な荒地だけが残るのである。――また三池闘争では、擬似市民的指導を日常では容認しながら、ある非常の瞬間には、それとまったく無縁に自己の方針を選択するという二重体制が、さらに山元指導組織の頂点にまで到達するよう下からつきあげられるべきであった。それをせずに、上部の擬似市民的指導と、擬似論理的に、また擬似倫理的にみずからを接続せしめた結果、ホッパー前での最高潮時に見せた一瞬のためらいにつけこまれて、これまでの全成果はあっけなくゆずり渡されてしまった。二重体制の便宜性に頼る者は、かえってみずからそのワナにはめられることを警戒しなければならないのである。

この二つの闘争例が示している教訓の第一は、今日の独占支配の進行段階では、これに抵抗する思想方法、行動様式の単純な画一化はありえないということである。矛盾を拡大しつつも、なお一定の好況を維持している独占資本のもとでは、その矛盾を隠蔽するために中間層的なムードの強調が資本の重要な課題となる。しかるに、労働者の側では戦後十五年、その内発性と自律性を厚く塗りこめる指導がつづいた結果、その始源的エネルギーをするどく装備する自覚された組織方法ははなはだ未成熟である。したがって、闘争の決定的地点でニヒリズムとアナーキズムが相互に遊離したまま噴出する。それは労働者思想の回路としての未完成であるといえるし、他面ではその分解した姿と考えることができる。しかしながら、これを単純に無自覚的に統一しようとすれば何が起るか。それは現在の反体制陣営内部の思想状況が示す通りである。そこにあるのは戯画化された階級論理と閉ざされた市民論理の妥協折衷の産物としての、擬似市民＝擬似階級主義である。彼等こそ教条主義者であると同時に修正主義者でもあるところの、そのゆえに思想的範疇には何ひとつ値いしない、ただの俗物である。そして忘れてならないことは、これこそ独占資本が全力をあげて創造しようとしている典型的な人間像にほかならないということである。

教訓の第二は、したがって、分裂した形で噴出せざるをえない労働者思想の二つの側面を自覚的にとらえ、それを両極へ向けて典型化していくとき、はじめて思想的深化が可能になり、両者の可逆的交流を可能にするエネルギー回路の小さなモデルが得られるということである。それは一種の純粋労働者主義であり、理念への偏よりをもつのは当然であるが、しかし、労働者意識の発達の過程を存在との関係であきらかにし、一定社会の固有な変革運動の様式を追求するためには欠くことのできない視点である。このばあい、擬似市民＝擬似階級主義に対抗するもう一つの視点として純粋市民主義が論理的には存在しうる。事実、それは安保闘争のさなかで、五・一九以降の一時期を支配するかにみえたのであった。けれども、開かれた市民論理としての純粋市民主義——上昇期のヨーロッパ資本主義がうみだした意識のレベルでの市民概念が、はたして現代日本社会においてどのように機能するか。はっきりしていることは生産関係のなかで上昇の道を閉ざされている、もっとも強烈な土着エネルギーはかかる論理体系とは永遠に直接の関係をとり結ばないであろうということである。それはせいぜい市民論理の化粧をつけた階級のピエロでしかない現在の反体制指導部と、狸と狐の化かしあい風に間接的な心情の距離を保った三池解放軍のように、いちおう組織的な脈絡をもつところまで、そこまでしか貫徹しえないということを知るべきである。

教訓の第三は、労働者のニヒリズムとアナーキズムのどちらに、より注意深く着目すべきかという問題である。もとよりそれは、その一方だけで意味をもつことはありえないし、そのゆえに本質価値として同位のものである。だがそのどちらが現状否定の主たるテーゼであり、どちらがアンチ・テーゼであるかはごまかしの利かない確定的な判断を要求する。安保と三池の例は、この点でかなり明確な証明を提出していると考える。下層プロレタリアートの心情の奥からあふれだして現状と衝突するエネルギーは常にアナーキーな現象形態をとる。そこから出発しないかぎり、中間層の否定的ムードをのりこえる実践上の対立物を提出することは不可能である。安保闘争にあらわれたマイナスの符号をもつ高揚は、たしかにその冷い情熱で既成指導部の権威をはぎとったし、個々のイデオローグたちの思想のあいまいさと閉鎖性をばくろした。にもかかわらず、それはいま必要な組織原理を現実の場に具象化して見せることはできなかった。その点では、いかに初歩的にして滑稽なものであろうとも、労働組合のなかからそれをのりこえようとしてあらわれてきた擬似軍隊の意義を私は評価する。パルタイでもなければ、労働組合そのものでもなく、また整序された理念の走狗にすぎない「統一戦線」でもなく、それら既成の定型を溶かするつぼとなり、またそこから変革の道具としての新しい定型をさまざまにうみだすことのできる原組織、組織以前のものであり組織以上のものであるような自律的運動は、こんごにひきつがれる一定の段階において主導的な役割を果すにちがいない。思想は当然にこのような不定形の運動にふくまれる盲目性に対して批判的に先行するものでなければならないが、今日の状況にあらわれているように、それはややもすればみずからの発生基盤から遊離して存在との連関をうしなう恐れがある。かかる擬似市民主義の再生産と縁を切るためには、くりかえし存在のなかにふくまれる始源的なアナーキーへ回帰するもうひとつの自己運動を避けるわけにはいかない。

五　新しい危機に抗して

さて何がいまわが国に起りつつあるのか。三〇年代のはじめに起った反体制陣営の潰乱のくりかえしであるのか。四五〜六年に起った幻想の再生産であるのか。もちろん、それは内部的潰乱であると同時に幻想との死の接吻でもあるわけだが、しかし、人々の眼に映っているのは選挙対策に熱中し、自己の勢力拡張に血道を上げている、きわめて篤農主義的な諸組織の姿である。インテリゲンチャ・学生・労働者の先進部分からかなり広汎に愛想づかしされているとはいえ、革新政党や労組などの既成組織はなお一定の影響力を確保しているかにみえる。痛烈な批判が単なるはねあがりとして一笑に附されてしまう現実的な力関係はすこしも動かず、日本革命の小型自動車は舗装された道路を安定した速度で進んでいるかにみえる。

だが重大な変化が六〇年の前半に起った。既成の反体制陣営は総体として反体制ではなくなった。いまや社会党は社会民主主義という破綻にみちたイデオロギーの名にも値いしない場あたりの純粋議会主義党となった。共産党は前衛的エネルギーのなりふりかまわぬ扼殺者となった。労組指導部はいたるところで賃金切下げ、首切りの推進者となっている。すなわち、その主観的意図はいかにあろうとも、既成反体制組織は客観的に大政翼賛会化、産業報国会化しつつある。それは部分的に支配権力と衝突することがあろうとも、身ぐるみすっぽりと独占資本の援護射撃部隊として再編成される危機が迫っている。危機の実体は単なる官僚化や単なる事大主義ではない。存在のトータルな変質にかかわるものである。

潰乱は起るだろうか。むしろそれが一時に大規模に起るならば、かえってそれは新しい組織編成の契機として利用できないことはない。そして組織の部分的な落盤や解体は今後も相つぐであろう。しかし、これらの組織の全面的な方向転換あるいは大規模な解体は当分の間、期待することはむつかしい。なぜなら、彼等は今日の独占資本のもとで、失うことを欲しないなにがしかの物質的・制度的な基盤をもっているからである。独占資本が投げあたえているわずかばかりの「権利・自由・地位・利益」を奪いあうために、政党をはじめとして、いかにあわれな主導権争いが演じられていることか。おどろくべき思想的無内容さで静止してしまった既成の反体制陣営の潰乱以上の潰乱、幻想以下の幻想はそれなりの物質的基礎をもっているのである。もし独占がこれらのわずかな餌を惜しむにいたれば、すなわち反体制指導部の擬似市民的権力を支える物質的基盤がなくなれば事態は変る。しかし独占内部の危機の進行がそれをおしつぶす程度にいたらないうちは、独占はむしろ既成の反体制指導部とその体系が崩壊するのを欲しないであろう。それまでは大規模な潰乱、解体は起らないと見てさしつかえない。

とすれば、独占支配の全体系を否定しようとする運動はさしあたって、既成の反体制組織から自立した道をあゆむよりほかはない。たとえばそれは朝鮮戦争の後期から今日まである種のサークル論として展開されきたったものの延長上に新しい軍隊のイメージを加え、サークルと軍隊の間にうまれる広義の「政治サークル」として発展することが考えられる。なぜなら今日の政治的頽廃は一見、綱領の分裂という形をとっているようにみえるけれども、それは実のところ綱領そのものというよりは、綱領をして綱領たらしめる認識の土台にはるかに深くかかわっており、この認識論的分裂を克服しないで綱領や組織の定在部分をどれだけいじってみても、つねにその土台から復讐されるだけの話に終るからである。

もちろん綱領の不確定が望ましいというのではない。しかしレーニンが『何をなすべきか』で極力主張した集中的な運動の可能性は、彼が否定したそれまでの段階における無定型的な運動の広汎な存在という事実の上に成立していたのであることを忘れてはならない。それは段階論ではなく、認識の両面を考えることである。またわが国の反体制運動の歴史を止揚していく道である。いうまでもなく、それは清算主義的解体への危険をふくむ。にもかかわらず、すべてのパルタイ的集中が綱領認識の確定化を急ぐあまりに認識論的基礎の検討を怠り、思想運動の性格を失って、身ぐるみ自己を売り渡す必然のサイクルから脱出できないでいるとき、私たちはその橋を渡ることをためらうわけにはいかない。

したがって、目下のところ存在している必然にして可能な道は反パルタイ的集中、反集中的集中運動よりほかにはない。逆説的な論理のあそびにみえるかもしれないが、六月以後の事態はまさにその眼で見直し、整理され、方向づけられるべきである。このような運動はまず個々のイデオローグたちの反パルタイ的連合からはじめられなければならない。異なるイデオロギーのなかにふくまれる党派的契機ではなく、解党的契機によって結合し、当面する非イデオロギー的な既成党派の俗物化した党派性を清算させる必要がある。それは運動を綱領的認識によって区分することではなく、エネルギー本質論として見ることである。

さらにこの運動は、反パルタイ・反イデオロギーとしてあらわれてくる大衆の自立運動を促進し、そこに行動的な世界を形成させなければならない。彼等にいま必要なのは指令系統のない組織であり、問題のたびごとにイデオローグおよびその集団の提起する方向をいやおうなしに自分自身で選択し、個々の選択の上に立ってなされる共同行動である。当然に組織原理としての多数決の拘束は一定の条件のもとに拘束されなければならない。

ひとりの人間はイデオローグとして存在するとともに行動者として存在する。イデオローグとしての彼のエネルギーはニヒルに、行動者としてはアナーキーに噴出する。変革する労働者の思想はその断層の上を歩いていく。いまのところ、私たちはこの断層を縫いあわせてしまうイデオロギーとはことごとく戦わざるをえない。闘いはこの断層にすべてを賭ける者と、その賭けから離脱する者との間に進行する。いまではまだこの分裂線はきわめて単純にくっきりとしており、協同の範疇はいささか広すぎる。しかし闘いはもうはじまった。あともどりの可能性はない。こちら側には固定した指導体系がなく、状況のたびに編成し直されるイデオローグ集団しかないだろう。また状況のたびに選びとられる行動者集団の横の連合しかないだろう。そして闘いの推移につれて、協同の範疇は狭くなり、細く強靱な一本の糸だけをのこすにすぎなくなるだろう。長い苦しみののち、人びとは対立と協同が同義語であるような、そのような世界を発見するかもしれない。そのとき人々は一転して、いや順当にパルタイ的集中を求めるであろう。しかしそのパルタイとは、今日のパルタイ概念とは縁もゆかりもない反パルタイ的パルタイであるはずである。

（一九六〇・九・五）

（一九六〇年一〇月『民主主義の神話』現代思潮社刊）

前衛の不在をめぐって

一

またも日本文明は、それが固有の特徴であるかとさえおもわれる逆説性をあざやかにむきだしている。

尊王攘夷が文明開化と癒着したように共産主義はシャーマニズムと結婚したのであろうか。今日では前衛なき革命と革命なき前衛との対立がいわば不定形の前衛とでもいうべき架空の存在のまわりをつむじ風のように舞っている。「名月や池をめぐりて夜もすがら」この芭蕉のなんということはない叙景詩が、今日ほど一種凄愴の気を帯びてするどい皮肉に読みとれるときはない。うらぶれた田舎町にひとりの男が住んで——と書けばなにやら伊勢物語じみるが——戦争と革命からはさみうちにされているのが現在だとばかり思いこんでいたとき、みるみる洪水のように革命の過去と革命の革命たる未来が包囲したとすれば、彼はどのようにして崩壊した現在の感覚を再建するだろうか。私もその一人に数えてもらってかまわないが、声高に何がさけばれようとも、あるいはみずから語りつづけていようとも、息をのむようにしている内心の沈黙はいまさけがたく日本の地方を蔽っている。何が起こったのか。そこにはとめどもなく裂けていく内臓感覚だけがある。

樺美智子は犠牲者か、それとも帝国主義の手先か。このような疑問に人々はもはや悩まないだろう。それは一九五〇年の疑問であるにふさわしい。事実は簡明である。しかもなお人々は立場を選ぶことを棄てないのだ。まさにそれは事実から独立した立場である。たとえそれが誤った体系であろうとも、なによりもまず自分はある一箇の体系そのものを必要とする。それは餓死寸前の手がもぎとるバナナの一本であり、決闘の相手がなげてくれたピストルの一挺である。かくて共産党は倍加し、右翼も倍加し、すべての政治勢力がひしめきあう。この危機感となげやりを、同時存在させている力は何か。

前衛の物神化、前衛の主体喪失、前衛の不在という。そこにも危機感となげやりが存在する。その需要のはげしさについては、すでに良識に沈着した者たちは知ることがない。しかもなお、この空洞感覚が一定の生産性をもちつづけるという皮肉。この相対性の内膜から向うへはだれも侵入しない。かろうじて精神のマチエールがないという不在のマチエールで日々の糧をしのいでいる青年たちにとって、前衛はあってはならない。その不在こそが生の条件とすらいえる事態をどこでどのように受けとめるべきか。

おそらく、そこには補足的な逆説がある。意識の存在論的規定からすれば、体系を必要としている部分は庶民の中層を代表し、前衛の不在を必要としているのは支配者の中層に対応する。後者が前者から「小ブル急進主義」とよばれ、前者が後者から奴隷的な「日和見主義」とよばれるのは、それぞれに道理のないことではない。ただこの喧嘩両成敗論の上にのって、簡明な事実に煙幕をはろうとする共産党員は二重の意味で革命を裏ぎっているだけだ。けれどもくりかえすが、事実の簡明さそのものは問題の新しさの半球でしかない。

そういう瞬間が存在する。代数的にいえば、それはまず「偽証の時」であり、さらに「死者の時」であり、この相矛盾する二つの函数の連立の上に結ばれる不連続の連続たる現在がまだ一個の定式に収斂していないような時間が。そこではやっと、この問題は問題でありうるかどうかという二者択一だけがはっきりした形をとる。「うそっぱちの前衛もまた前衛それ自身にほかならない」とする論理と「髪の毛ひとすじのうそっぱちをまじえている生物はすべて死ななければならない」とする論理との格闘は、この格闘に積極的な意味をみいだすか否かという問への答を要求している。二つの論理がともに小児の呪文にひとしいと主張してみたところで、それだけでは現在から離脱することでしかないのである。

「前衛がある」と認める者と「前衛がない」と認める者の間に形式論理的には対話の可能性はない。それはたがいに相手をうちたおすまで闘わなければならない。しかし対話が闘いの一形式であるように、闘いもまた対話の一形式である。そして闘いの形式が堕落するならば、闘う者の双方がともに腐蝕するところに闘いのつらさがある。そのつらさを噛みしめずに経過する闘いがあるとすれば、それは真の闘いではないがゆえに不毛である。一九六〇年六月を焦点とする闘いは、多分にそのつらさの放棄の上に成り立っている。

けれども今日の課題が忍耐という心情のスタイルで包括される現実性はない。なぜなら「前衛がある」充足への熱望と「前衛がない」空白への饑渇は、同じところにおいておけばいつのまにか化合するというものではないからである。両者を同一物の裏表などというのは、天地陰陽論と変らないくらいのだじゃれにすぎない。まさにそのゆえに、若い世代に集中的にあらわれているこの分裂は、対話性に富んだ二者択一ではない。他の問題をとりあげ、それとからみあわせて見ないかぎり、二つの論理の格闘それ自身はさほど生産性をもちえない。何を媒介にすれば、このめざましいエネルギーをもつ対立の真の昇華が得られるか。

二

なによりもまず最初にいやおうなくつきつけられるのは、対話性に富む二者択一などそもそも必要でない、それはせいぜい自分を支持するエネルギーを大きくするための技術として必要だという立場である。共産党も共産主義者同盟もその点ではみごとに一致している。自分を選ぶかその反対か——この図式の崩壊こそが今日の時点であるのに、歯車が逆さまに廻っているのだ。

理由はかんたんである。それは綱領的認識のスタイルだけが彼らの神だからである。綱領がそもそも未完のものへの永久の追求である一面を知らない共産党は、完結していない綱領と前衛性のギャップを規律の体系性で埋め立てようとしている。未完の綱領と綱領の未完結性を混同しながら出発した共産主義者同盟は、いつのまにか綱領の完結性を信じこみ、綱領の本来的な未完結性への追求を放棄した。いずれの側もいま噴出している充足への熱望と空白への饑渇との対立を総体としてとらえていない。それぞれの側に偏った綱領的認識の整序法があるだけである。ただしこの整序法には本質的なちがいがある。共産党は排除しようとする相手を抹殺すべき敵としてとらえるのに対して、同盟は論理の敵としてとらえる。そこに敵の概念に関する進化がある。けれども自己の無謬性への過信はその進化をうち消してしまうほどの強さで遺伝されている。

綱領的認識がもっとも警戒しなければならないのは、それだけが唯一の認識法ではないということである。認識論は人格の分裂を承認しないかぎり単一であるべきだろう。しかし認識の発生過程はひとりの人格のなかにもつねに複数の系をもつ。その事実をふくまない認識論はどこまでも無力である。この無力さの無自覚の上に戦闘性を築こうとする愚かしさをいつまでつづけるのか。

いわばそれは革命の文体の問題である。反体制運動とよばれるものが今日ほど文体の問題と化しているときはない。もちろんそれは言語表現にかぎられたことではなく、精神のマチエールとしてそうなのである。——たとえば私がこのことを綱領的認識のスタイルしか必要でないと信じこんでいる人間になっとくさせようとすれば、そのこと自体、はてしなく文体上の亀裂をもった会話を平行させる決意を抱かねばならない。その決意はほとんど殺意にひとしくなければならぬ。しかも結果は坂道をのぼろうとする機関車が、こと志に反してしだいに谷底へ逆行するように、対話の質はかぎりなく後退し、やがて彼の防衛本能が棄て猫のようにむきだしになること、まずオットセイの群をめくら射ちするくらいの確率はある。人々はその光景を理解するのに溺死せんばかりの経験をもっているか、まったくのゼロであるかのどちらかである。

私はなにもマルクスの文体におけるドイツ観念論の影響などといった、悠容迫らざることをいっているのではない。対話の可能性がないところに強引に対話を要求すれば、それ自身がファッショ的ムードをつくりだすこともいくらか理解しているつもりである。ただ今日では対話性を失った対話形式のおしつけがあり、それがプロレタリアートの闘争の最前線にあり、つぎつぎに戦闘性が腐らせられていっていることをいいたいのだ。文体とは他者からの浸透を借りて、他者へ浸透することである。その貸借に自分自身の対照法が存在することである。それは綱領のなかの反綱領的部分であり、綱領の土台をなす部分である。それなくしては綱領も一個の死怪にすぎないという平面の巨大な空白、天文学的な距離感が私たちの口をつぐませる。

二種類の反体制派が存在する。自己の精神の構成要素としてさまざまな対位法の存在を認める者と、対位法自体を二元論としてしりぞける者が。両者はそれぞれの集団に分布しているにもかかわらず、同じ環境にあればあるほど両者の関係はきっぱりと断たれつづけている。そしてこの両者ともはてしなく右翼へ拡散していく部分とつながっている。憎悪はますますはげしくなり、敵対的な関係に移行している。だがどちらも相手を抹殺する力をいま持たないから、最大限の妨害をこころみながら、相手方の自然死を待っている。キリストの論理をもってすれば、日々殺人が犯されている。ナチスのユダヤ人迫害にも比すべき大量殺人である。それはもはや六全協のように党内にかぎられることなく拡大しており、六全協のように突然の和解によって中断されることもないであろう。いわば相手方を攻撃し、妨害し、破壊する方法の倫理的高低がすべてを決すると見るよりほかはない。

この惨澹たる悲観論を通りぬけなければ、今日以後の前衛思想というものを想像することさえ困難である。前衛思想は民権論が挫折した当時以来の不確定状況にある。ここにひとりの北村透谷があらわれても、あえてふしぎではない。しかもそれはマルクス・レーニン主義のぼう大な定言命題群との関連を中心とする不確定性である。何をなすべきか、何から始むべきか――という問が鳴りひびいている。そしてレーニンの行動順序を追うことはレーニンの戯画化でしかないであろう。

むしろ未知数の前衛をとりいそいで既知数におきかえようとあせることなく、理念としてのみ存在する架空の前衛をひしとみつめながら、そこへ近似的に接近していく解析的方法の得失をさまざまな過渡的媒体を通して見定めていくことが今日の課題であろう。問題ごとに、曲り角ごとに再編されるイデオローグの集団がしだいに大衆の直接民主制と結びついていく過程しか、いま当面の前衛構成法としては考えることができない。はじめに前衛があり、そのまわりに統一戦線があるといった太陽系的思考はうち破られねばならない。頂点に前衛があり、裾野に模糊たる大衆があるといったピラミッド的官僚性はたたきのめされなければならない。

大衆の直接民主制はあるか。擬制化してしまった既成の反体制陣営にそれがないというときには、もっぱらそのことのために闘うのがレーニン的態度である。私たちの前にある現実は、レーニンの前にあった現実とはこの点ではっきりとちがう。ここには民主集中という名の、擬制化された古代国家がある。それは二重の意識的天皇制となって、二枚の重なったすだれが前方を透視させないように、視界をさえぎっている。

戦争中に――偶然に知りあった人間同士がおずおずと配給物の不満などから統制経済の矛盾におよび、戦局を展望し、または古今東西の芸術を論じたりしているうちに、どちらかが大政翼賛会批判にふみきってようやくほっとするまで五、六回もつきあいをくりかえさなければならない現象があった。だがあのときでさえ、いや、あのときこそ飢えという即物的、普遍的な出発点があった。現在では密室の壁をとかす本能の次元が、想像することも困難な論理の衣裳にかくされている。人々はいたずらに直接性を漁りあるいている。メキシコ絵画からキューバ革命まで。

だがいかなる形の直接民主制も論理の次元における対立を媒介としないかぎり何者も生産しないのは当然である。六月闘争を焦点にして、共産党は論理的対立の媒介機能を完全に停止した。したがってそれはもう革命運動のカテゴリーではなくなった。共産主義者同盟がそのあとを急いで追いかけているかにみえる。このような集団との葛藤がただちに思想領域にくりいれられることはできない。それと分離してたてられた問題軸をくぐらせなければ、直接民主制そのものにも到達しない。

三

綱領的認識のなかにふくまれる反綱領的認識を組織する必要を肯定するかどうか——という二者択一はまさに今日答えられなければならない。この分れ道で否定の側に立つ者はしばしば肯定の側を修正主義的二元論と断定し、逆に肯定の側は否定の側の悪しき一元論を攻撃するあまり、みずから二元論の沼にはいりこむ。このような一元論と二元論の対話になにほどかの生産性はあるだろうが、すくなくとも前衛思想の創出に直接の関係はない。

けれどもそこにはこれまでの前衛が対応することに失敗した独占資本と二重構造の関係がまざまざと露呈しているような気がする。二重構造は日本独占資本の存在様式そのものであり、独占資本は日本的二重構造の死に瀕した最高の段階であるというのが私の戦略論の原型であるが、共産主義がこの国で前衛の位置を獲得していらい、社会構成からその反映たる権力の構成法の固有な歴史についてはまだ一度も原理的な把握がなされていないばかりか、しばしば二重構造すなわち封建的要素、として比較すべからざるものを対比し、そこから二段階戦略の適用を考えたり、また社会構成を無視した社会主義革命論をぶったりしてきた。二重構造は独占資本が意識的につくりだしたものであるといった擬人法や、賃金格差が減少すれば二重構造が消滅しつつあると考える数量主義や、農村の「近代化」が独占資本の体内にひきいれられた二重構造の拡大過程と見えない生産力論や、それについて議論させれば十人のマルクス主義者が十色に分れるほどの華やかさである。彼らに対してこの問題をめぐるさまざまな仮設を質問してみるがよい。黒船が来ないうちに日本が資本主義の段階に入っていたとすれば、それはやはり今日みられるような二重構造性を持っていたであろうか。国家独占資本主義の下でもより強力な新しい天皇制出現の可能性ありや、天皇なき明治権力を想像するとすればその形態は……等々。おそらく即席でほぼ満足できる答を出しうる人間はまれである。それは彼らがほかならぬ変革についてまっとうに考えつめた経験がないことを意味している。

要するに、日本の前衛思想などまだこれからのものである。人なみに修正主義だのトロツキズムだのと騒ぎたてるのは若気のせいだといえばいえないこともない。けれども共産党や共産主義者同盟などを離れても、対話法を欠いた思想の対立は大衆的に存在する。その一つの集約がここにあるにすぎない。とすれば問題を前衛論の枠内にとどめることが、かえって前衛性の喪失につながる。物神化はまず内閉性からはじまるのである。

いま噴出している若いエネルギーの一方向にまとめることのできない分岐は、それぞれのエネルギーが占めている社会構成上の位置から解明するよりほかにないと思われる。それは主として

――戦前には独占資本とその外部の関係としてとくに強く表出されていた二重構造の重点が戦争を経由してその体内に移行したばかりでなく、新しい独占資本型の二重性をもって全社会を蔽うにしたがい、大衆の下部における精神のマチエールがプロレタリア的に一歩前進し、あたかも生産力と生産関係の矛盾のように、事態に対応しえない既成の反体制的体制を一つの桎梏とみなすにいたったこと――しかもなおその力関係が一定限度の平衡状態を脱しきれないために、闘争の顕在的意味はことごとく形骸化し空洞化し、そのゆえに二次的な陥没を招いていることにもとづいているであろう。だがこの同じ事実が、支配層の中間部、下部で自己の座標の二重所属に苦しみ、一種の純粋主義的な解決を求めている地帯からの出身者は「空白への饑渇」にひたされるのに対して、被支配層の上部、中間部でより上層の構造にすすんで帰属を求めている半所属の地帯は疑似的にでもかまわないという「充足への渇望」にみちているという風にあらわれるのである。そこにはまだ独占型二重構造の拡大された底部――その底部からすら無縁とみえる疎外という名の参加、参加という名の疎外の原型そのものと化している地帯からのエネルギーは登場していない。日本の運動にはまだ真正の阿Qがいない。阿Qすらもいないというべきであろうか。たかだか化繊のセビロかなんかを着ているにせものの阿Qしかいない。それゆえ真正の反阿Qがいないのだ。

にせものはにせものの意味があるだろう。なぜならほんもの（典型）とは直視することのできない範型、範型を超える範型であるから。社会主義リアリズム論の不毛さは肉眼的な実在を信じすぎたことにある。しかしもともとそれは不可視の典型をつかまえる力がなければ人間を対象化する方法はないという主張ではなかったのか。だから日本の運動にいないのは阿Qその人ではない。不可視の阿Qと反阿Qの対話がないのだ。そこからはじめるべきだろうか。にせものの阿Qと反阿Qで、虚空の典型をにらみながら、伝達の不能を九分九厘まで信じながら、その不能を唯一の対話の糧とするべきだろうか。もしそれが無用であるというならば、日本社会の「雑居」的「重層」性にふくまれている支配の論理、支配の技術をくつがえすための直接民主制は必要ではない。必要でないばかりか、むしろ有害であるといっているにひとしい決定論風の思考スタイルにすべては凝結し、その背面で無限定の二重論理がひそかに滑らかにはたらいて、綱領論議すら排除されるにいたるのだ。

異なる思想にまず簡潔素朴な同位性を与えよ、しかるのち汝の価値意識を示せ——といった体操の分解動作のごときものを教えこまなければならないとはかならずしも私は思わない。ただ阿Q対反阿Qの矛盾律を最高度に内包しているのが労働者だとしてみても、金属労働者と炭鉱労働者とではほっぺたの筋肉の動かしかたからちがうのである。それに向って斉一化された思想方法、行動様式それだけをおしつけてみたところで何かしたことになるのかという疑問を出してみたいのである。

四

脇腹に手をさしこんで流れる血汐にふれてみなければ信じられない聖トマ的人物へ。ここに緑色の紙に印刷された一枚のビラがある。「勝利と団結の道を歩もう」と一万年後の宇宙戦争までとっておいても有効であるようなタイトルをつけたこの文章は十月二十三日、共産党遠賀地区委員会と大正細胞の連名で、福岡県中間市大正炭鉱（従業員三千人）の組合員とその家族に向けられている。この春いらい継続的にあらわれた賃金遅欠配、金券発行、希望退職募集の末に、十月に入って出された第二次合理化案は基準賃金だけでも二割以上の切下げをふくむ三十項目に及んでおり、タタミの修理代にまで手をつけているが、一億二千万円の資本金に対する公称負債は三十六億円で、たとえこの案をのんでも一層の労働条件悪化と大量首切りが予想されている。

それについてビラは「分析」する。「池田内閣と独占資本は新安保条約とこれにもとづく日米経済協力の体制を強化するため、闘う労働者に無慈悲な合理化攻勢を全面的にすすめています。エネルギー革命はあたかも宿命のごとく宣伝しているが、これは全くウソであります」。政策が経済法則に先行してそれを支配するという倒錯はいつものことだが、それは彼らの革命観がやっとこで鉄をねじまげるような風にできていることの反映であり、むしろその意気を壮とすべきであろう。だが「重要な国内資源である石炭増産と活用をおこたり」というのは、いささかすばらしすぎる。資本家が一九六〇年に生産サボタージュをしているという珍説はなお走りつづけて、全炭鉱の統一要求なるものにたどりつく。「一、石炭産業の平和的発展と拡大、炭鉱労働者の完全雇用を保証せよ」わが社は平和産業だからねえ、拡大させてくれよ——という重役の発言が聞こえないわけにはいかぬ。「三、あがり山に対する独占鉱区の解放をふくめて国家は保証せよ」何を保証するのか。補償のまちがいであろうか。またも——えっ、鉱区解放だって？　ああ補償してくれるのなら値段しだいですよ——という重役の声。「二、独占資本と政府の売国的合理化政策をやめさせ、すでに合理化政策の犠牲者である中小炭鉱を中心とする炭鉱離職者の職業訓練と生活の完全な保証」「四、失業保険のひきあげ、再就職までの期間保険金の支給」自民党のお家芸である職業訓練の株をうばわんとするのはよいとして「生活の完全な保証」とは何か。突如としてボタ山の上にシンキロウがかかったような気がするではないか。といったしだいで資本家保護政策二つ、失業者対策二つ——これで「前衛」党の統一要求はあとにもさきにもおしまいである。それで企業主義的組合の欠陥をあらため、産業別統一闘争なるものをやろうというのだから恐れいる。

ところでこのビラの訴えんとする真意はここにある。「企業のワク内のみでの最高度の戦術をとる、とらないという立場から大正闘争の前途をみて〝百かゼロか〟〝有か無か〟という単純な機械的闘争観は、この際あらためる必要があります。組合そのものをハカイする大陰謀をすすめている独占資本、池田自民党、大正資本家たちの術中におちいるもとであるからです。このさい一部の盲動分子の策動を排し、また会社の〝赤字〟宣伝にだまされることなく……」労組の統制から自立し、労組が組合員一般に指示する行動にはつねに先頭にたちながらも、労組の妥協的方針を公然と批判して活動する青年行動隊――それを指導する除名者と離党者と新しい参加者から成る自立した集団、共産主義者同志会へ攻撃の矢は向けられているのである。

三池ホッパー前で音もなく崩れさった二万の自衛集団、その苦がい経験のなかからこの組織方法はうまれた。あの場で何が必要であったのか。共産党はあっせんに応じる回答がなされるまで一言も発しなかった。共産主義者同盟はあっせんを拒否せよとさけんだが、大衆討論を組織しなかった。労働者は黙々として上部機関の統制にしたがった。この不毛をうちやぶるものは何か。労働組合を可能なかぎり直接民主制に近づけるための行動集団を形成し、たとえ少数派であろうとも下部労働者の意識の自立と言論の自由を確保することがその結論であった。中労委あっせん案が出された数日後、青年文化会議(サークル連合)のよびかけで「三池をしめくくる夕」が開かれ、爆竹を合図に二百名が集まり、三池労働者を激励した。しめくくるとは、三池の教訓にもとづく決意を固めることであった。やがて居住区毎にそれぞれ独立した青行隊がうまれ、断崖のふちに立たせられることが眼にみえていた第二次合理化案発表を前にして、それは一つにまとまった。彼らはいった。「負けることは覚悟してやる。一生の方針をみつけだすためにやる。だから三池のような負け方はしない」当然に彼らはあきらかな敵意とぼんやりした疑問と強い支持の三重奏のなかにおかれている。

彼らの方法が有効であることがわかったとき、従来ならば組織を割ることによってしか発言しえなかった労働者の右翼的部分も独自の言論と行動を起こすだろう。労働組合は猛烈なイデオロギー闘争の場となるだろう。集中的民主主義と直接的民主主義への二重所属を明確な態度で守りきれない部分には、はじめて正当な「統一と団結」論が説かれるだろう。集中的民主主義は直接的民主主義に当然帰属する自由を侵さないし、直接的民主主義は集中的民主主義がその限度内で決定するすべての決議に従うだろう。いわゆる基本的人権がどちらに帰属するかはいうまでもない。そのとき政党支持の自由に関する社会党と共産党の論争などは一場の笑い草でしかないだろう。人々はなぜレーニンが「労働組合は共産主義の学校である」と呼んだのか、その意味をあらためて思い知るだろう。破局に瀕した炭鉱でのちいさな経験が海のものとなるか山のものとなるか、もちろんそれはまだわからない。しかしそのなかには前衛の構成法に対応する、大衆組織の構成法に関する新しい暗示がふくまれていると私は考える。

五

私がいおうとしているのは、ほんとうにわずかなことだ。日本の反体制陣営に潜伏したまま抑圧されている、日本社会の構造的パターンとしての二重構造を白日のもとにひきずりだし、それに思想的同位性をあたえ、その同位的対立の上に立って組織を築き直そうというのだ。あまりにも自明なことだと笑われてもいたしかたはない。ただこれしきのことを綱領的認識めいて定言命題風に公然と唱えるまでに、私は十三年間の党生活を送らねばならなかったのである。いまようやくにして私には党派性とは何であるかが、かすかに野の稲妻のように——いや、みずからなぐさめることはよそう。

はたして集中的民主主義と直接的民主主義への二重所属によって、また直接的民主主義相互間のイデオロギー的対立によって日本のあるべき前衛とあるべき統一戦線は首尾よくうみおとされるか。なにゆえにいちはやく赤軍を政治委員と司令官の二重指導下におき、国家とソヴィエトの二重体制を通して弁証法的一元論を追求しつつあった社会があのスターリニズム的一元論へ転落したのかという課題の詳細な検討をぬきにして、この疑問はうまく解けないかもしれない。それについて私の知識はすこぶる貧弱である。しかも論理的にあきらかなことは、スターリニズムの責任がスターリンの人格にのみ帰せられているかぎり、問題の物質的な把握はまったく不可能だということである。またその原因が情勢の変動に左右された外在因として説明されるかぎり、革命主体の喪失は避けられない。何物かが内的主体の創出過程としての直接民主制のそれ以上の発展をおしとどめ、腐らせたのである。あるいはそれは一面においてイデオロギー集団相互間の、また同一集団内における分派《エコール》の処理法の問題であっただろう。しかしイデオロギーが現実の自己疎外であるとするならば、それはやはり一つの匂いが好きか嫌いかといった、それ自身では階級性とまったく無縁であるかにみえる感覚の選択からイデオロギーの選択にいたるまでの全過程を他者からの検証に支えられながら下から上へとたどっていく、イデオロギー闘争のもう一つの道によって裏うちされていなければならない。でなければ大衆の行動的文体、すなわち主体はついに発揮されないのである。

かかる「サークル主義」はいまや上衣を透してあばら骨がみえるような痩せさらばえた政治主義者たちから侮蔑と憎悪の的になっている。彼らがそれを排除せずにはおれない気持はよくわかる。大本営的勝報の濫発にもかかわらず、彼らの数量主義は日一日と産報化の色を深めていく反体制運動の危機をどうすることもできない。「白鳥の死」を踊りたい者は踊るがよい。ただの一度も労働者の魂《プシケー》が発生する過程をむさぼるようにみつめたことのない人間たちの革命的寝言よりもおそろしい鈍感さなどこの世にありはしない。だがそれとかかわりなく、日本的二重構造をくつがえす道がみいだされたとしたら、それは世界の左翼に新しい一頁をもたらすものであるだろう。

（一九六〇年一二月号「中央公論」）

Ⅱ

知識人と私のちがい

概念というものは、できるかぎり勢いよく反対側の壁にぶっつかってはねかえるものの方が面白いのはいうまでもない。概念の弾性とでもいうべき視角からすれば、特定の階級をもたない、層としての知識人なんてしろものは、高野豆腐のように歯ごたえのないところに何となくあやしげな味わいがあるにすぎない。いったい知識人の反対概念は何であろうか。婦人という日本語に強いて反対概念をみいだそうとすれば殿方などというやつがとびだしてくるのだから。知識人の婚約相手をむりに大衆ときめてかかることはないであろう。私の感覚からすれば、それは戦闘的労働者あるいは詩人、それを足して二で割ったようなものである。

天草の漁師が遠海へ出るばあい、よぼよぼの老人を一人選んで船にのせる習慣があった。彼は魚が釣れようと釣れまいと、知ったことではないという顔つきをして、いたずらに煙管を吹かしているが、いったん空模様がおかしいとなるや、厳然として漁の中止を命じる。これにさからうことは何人もゆるされない。彼の役割はあとにもさきにもただ一言の拒否権行使につきるのだが、ぶじに帰りつくと数人分のわけまえをうけとる。漁獲の多少と生命の安全を秤にかけるとき、何が必要なのか。去る日、吉本隆明と話していて、彼が花田清輝について「あの人は、すくなくともここ数年の局面判断を誤まったのだ」とはきだすようにいったとき、私は彼の横顔にきたるべき悪天候を予知できなかった老人に対する、漁師のふんまんに似たものをみて、おもわず鶴見俊輔と声をあげて笑ってしまった。笑ったあとで、日本の悲壮な現実が浜の松風のように鳴るのをおぼえた。

もちろん、当るも八卦といわんばかりに堂々めぐりする傾向談義を認める気もないし、情勢論の廃棄を宣言して荒天怒濤のかなたに消えいく船をよしとするのでもないが、竹内好のような反科学者までが往々にして足がもつれるのもかまわず「状況の先取」を強調したりするのをみると、やはりお天気は大切かなとおもったりする。

しかし、労働者が一貫して知識人に求めているのは、天草の漁師が生命を委任しているのと同じ老練さであり、気象台と魚群見張所と保険会社が合体しているような人格であることを考えると、そこにちょっとしたわながあるように感じられる。支配の論理が一つの人格という姿をとって結晶しているのは武士においてであり、せいぜい地主まではその残滓がみられるのだが、人格をもたないブルジョア支配という段になると、突然それは日本の労働者農民の理解の域をこえてしまう。いくら主体の確立がさけばれようと、主体すなわち目鼻をそなえた一人称ということになってしまえば、それは裏がえしの偶像崇拝であるにすぎない。わが国における組織の物神化は、なんでもかんでも世界を擬人化によって理解してしまうという心理傾向と強く結びついているから、知識人の役割も決して非人格的に規定されることはない。一つの機能がある人格によって代表されるという錯覚が破れるところに、ブルジョア支配の基礎があるわけだが、日本の被支配階級はいぜんとして支配者の属性がそのまま支配の論理であり、支配者がいるから支配があるとおもいこんでいるようにみえる。極端にいえば、経営者がことごとくロボットに化したとしても、なお資本の法則にしたがって営々とはたらくオートマティズムが労働者にあるのは、人間を機構として見るからでなく、機構を人間として見るからである。もしそれが人間に見えないばあいは、たちまち怪物としてそれ以上の畏怖をかもしだす。この被虐心理を利用することは日本における支配技術の重要なポイントの一つになっている。

だから労働者の世界にプロレタリアの独裁というような観念をもちこむばあいに、もっとも障害になるのは、ブルジョア支配の最高の形態、限界状況というものがまるで分っていないという点である。人格的支配に対してならば、かれらはそれなりの反応を示す。ところがいったん非人格的な支配になると、かれらはすぐ「法律はどうなっているか」と問いはじめる。法律とはおれのことだとおもえといってみても、あまり効き目はないであろう。かれらにとって、それは一つ目小僧かろくろ首になれという要求にひとしいのだから。たしかに、近代的支配の観念ほど日本の労働者にとって難解なものはない。支配者として疎外されるくらいなら、被支配者としての現状における疎外の方がよっぽどましだ——かれらは異口同音にそういっているかにみえる。支配に対する支配、疎外からの疎外、それは非人間的になることだからいやだというのである。対自的階級になれ、即自的階級ではだめだ。ヴィジョンをもて、プログラムをもて。そういわれれば、うなぎの寝床のような酔生夢死のユートピアから首だけつきだして、知識人の方に共鳴と讃歎のウインクを送り、明日の天気はどうですか、傘がいりますか、長靴はどうでしょう。すると親切な知識人が「先取」した小きざみな状況の小きざみな判断をあたえる。その実、彼は精神の不老長生術を自己目的としているのだが。

漁民の危機感と農民の勤勉さを加えたような「状況の先取」が、はたしてそれほどヴィタミン欠乏症のように緊急に、不断に必要なのだろうか。むしろそのような局所的適応性を科学とおもいこみ、科学の名によって総体としての科学から遠ざかり、科学そのものの自己超越性を忘れる損害の方が大きいのではあるまいか。私は日本におけるブルジョアの支配論理がもはや一応の抽象化を終り、ともかくもある種の純型を得たとはおもわない。それのないままに、日本ブルジョアの命脈はつきてしまうかもしれない。おそらくプロレタリアの眼を通してでなければ、それはせいぜい状況の先取ぐらいで終ってしまうであろう。しかし、状況先取も対自性もヴィジョンもプログラムもことごとくほんとのところは先進ブルジョアの支配論理であり、私たちはいやいやをする労働者階級にせっせとブルジョア支配の論理を教えこんでいる最中だといえる。これでよいのだろうか。

人間による人間の支配を廃絶するためには、プロレタリアがブルジョアの技術を薬籠中のものとすることなしに不可能であることは見やすい道理である。だからといって、労働者に対して現在のように支配の中間論理、あるいは中間支配の論理をあたえているだけではどうにもならない。技術とはそもそも古い技術への侮蔑の組織化であり、侮蔑もまた一種の技術だから、だんだん支配能力をつけさせていくという教育論はあまりあてにならない。むしろ労働者が未来社会に対して適応性を欠いているようにみえる、その部分がみるみる膨脹して、総体としての適応性がうまれる道を探すべきではないか。

三池で指名解雇された者たちは、自分らは生産阻害者ではないとしきりに説明していたが、おう、おれは生産阻害者だが、それがどうしたという一言が出ないところに壁があった。だがその闘争を外から支えた坑夫たちは相当に破戒むざんな連中であったことは断言してよい。山元に帰りついたかれらが作った、労働組合の統制をうけない独立行動隊の本部と称する破れ畳に、すぐさま花札がもちこまれたのは別におどろきもしなかったが、デモの途中で隊員の一人が「おい、この店におれは四人組でどろぼうに入ったんだぞ」と、デモりながら当時の模様を解説しているのには、私もいささか啞然としてしまった。暴力論どころか、どろぼう論が労働運動に必要といえば必要になっているわけで、状況の占取などとは下手に口にすることではないとおもいしった次第であった。もっとも、共産党の常任としてやった非合法活動の経験を生かし、電工お手のものの電線ドロを組織してあげられたことのある「サークル村」編集長の話によれば、分配の公平を期するためには職場の民主化が不可欠の条件であるそうだが、そのような分別をのりこえて、変に明るいものが漂っているそこに、これまで求めて得られなかった反倫理的な革命性があるようにおもわれた。二言目には「しくじった」とぼやくこの男のいわんとするところは、こんな風に中間論理にしめつけられず労働運動がやれるのなら、あたら青春を豚箱などで空費するのではなかったということであり、その反動としてつい力こぶが入りすぎるのを同時に悔いているのでもあった。トロツキズムが新しくできた、マルクス・レーニン主義よりももっとものすごい主義だとおもっていたこの行動隊の合言葉は「カッカ、カッカ」という鳥の鳴き声のようなリフレインである。「カッカ、カッカしとるんだぞう」「カッカ、カッカするなよ」灼熱と冷却が同時に強調される。炭労の方針とまっこうから激突し、小数孤立を笑いとばして闘ってきた行動隊は、三ヵ月の不眠不休の活動ののちに、副組合長と一坑指導部長に当選してしまった。

かれらにとって支配とは何であるか。いまのところそれは、閉山の危機でおびやかす資本家に対して、「カッカ、カッカ」という呪文をホースで水をまくようにいたるところでばらまくこと、つまりカタルシスの自由を確保することだけである。労働組合がその自由を制限するとき、それもまたまごうかたなき敵である。しかし、行動の綱領がなお局所に制限されているとき、行為の爆発を呪文のカタルシスで統制しているのは、念仏宗くらいの進化度はあるだろう。そして、かの「統一と団結」よりはるかに独占支配の現状に直接的な対応のリズムをもってもいるだろう。知識人に対するかれらのイメージについていえば、私をすっかりその典型とおもいこみ、自分たちと同じ変質者と犯罪者の混合物であるが、自分たちよりもうすこしひどい奇型がそれだと考えているらしい。

事実、かれらから私は自分の奇型について考える機会をあたえられた。最初のうちこそ、かれらは私を敵側から寝がえったスパイのようにみなして、しきりに情勢論をせびっていたが、しばらくすると日本の村人がきちがいに対してとったように、この世ならぬ神秘を語る者としてあつかい、やがて自分たちにまさるともおとらぬ不毛の存在であることを知ると、機会がきたら組合員に加えてやると約束した。この推移はかれらがゆっくりと夢想の擬人化、人格化、偶像崇拝化からぬけだしていく過程を認めるかぎりにおいて当然のものであり、その変化の速度はまずまずあざやかであったといわねばならない。

ふりかえってみると、九州の中南部では、大正の中期にいたってようやく、零落の一途をたどる下級士族と、発展の限界に達した小地主の家族が結婚をはじめたのであり、支配の末端でかくべつ前途の希望もなく執行された妥協の産物である私などのような存在は、生の第一歩から理由とか目的とかを欠如した一つ目の巨人と戦わなければならなかった。もし私が、祝福もなければ呪詛もない地帯の無意味さを牽引する者でなかったら、私はレンズをみがくスピノザや陸軍省へ通勤するヴァレリイのように、うっすらと血のにじむ小さな職業を選んだことだろう。

しかし、どのように反転してみても、両親からおくられた二つの函数の間には、実数としての関係が成り立たないと覚悟したとき、少年の私はひとりの知識人になっていた。下級支配者としての両親の感覚はそれぞれの異なる支配方式と結びつき、支配と被支配のわかれる地点にはともに敏感であった。士族――教員の超越的・倫理的ルートと地主――医者の合理的・感官的ルートは、粗っぽくいえば第二信号系と第一信号系のどちらに支配の土台を置くかで争いあった。半歩だけ歴史的な出身階級から離れていたかれらは、それだけ純粋に前代の論理を輻射していたともいえるのだが、小市民的な契機を通過して、士族のそれは「危機からの避難」、理的な地主のそれは「唯心的な匂い」に転化していた。私は、私自身がそこから発生してきた、無論理的な小市民という媒介項をにくんだ。その結び目を切りはなせば、人格を異にし、サイクルを異にする、二つの運転系統が得られる。その上でひそかに無人電車を走らせ、背行させ、脱線させてはたのしんだ。

私がうけついだのは、社会の末端における、死に瀕した、たがいに融和しない二つの支配方式であった。――人間が人間を、眼と眼をかわしながら、直接に支配するとはどういうことか。被支配者はどのように自己をとざし、みずから満足しつつくずれおちていくか、支配の挫折はどんなばあいに起こるか、一般に支配の限界はどこにあるか。そして最後に、支配しようとするよりも支配されない工夫について。たとえ五歳の子どもであろうと、すでに知識人――すなわち架空の支配者として立っている可能性がある。すくなくとも私は、自分の生が先行する二つの階級のあいまいな衝突からはじまっており、私の生命の意味は何物かに先行する死以外のものでは決してないことをさとっていた。私はいっぱしの知識人らしく、自分の函数から教員と医者の係数をぬきとって、それを捨てた。繁殖する生命というイデーを私はきらっていたのだ。

それゆえ、私はまたかなり重要な、もう一つの選択を早くから決定していた。私の前にそそり立つ生の無意味という始点に、ブーメラングのように回帰してくる知識の運動過程は、その機能と切りはなされて抽象されるならば、天体の運行にひとしいただの客観性であるが、その触手で現実を冷ややかに破壊するとき、すべての知識はまごうかたなき進歩の意味を帯びる。そしてこの二ならびの歯にくわえられ、無機質の進歩という苦痛の奥へもぐっていくことの快感は、私には何よりも大きな不正であるとおもわれた。自分を偶然の交通事故がはからずもうみだした生命であると考えるなら、同じ範疇が二つの尾をひいているあたりで、あまりうろうろするのは禁じられてしかるべきだと感じていた。それよりもびろう樹の葉のように割れた自分の影を統一する存在の場がもしあるとするなら、それを探さなければならない。これはそのまま士族的、地主的な禁欲主義であった。

科学的に進歩の芽をつまれている、動機をもたない存在はどのように歩くことができるか。この世の範疇のなかで自分を抹消するにはどうすればよいか。幼年の私がくりかえしその地点で立ちどまったのは、今からおもえば当時の小ブルジョアがとらえられていたのと寸分変らない呪縛であった。同時に私は、個体がより大きな状況に対応するかぎりにおいて、ともかく対応の意味だけはあるということをすでに知っていたとおもう。私はつぎのような笑話を好んだ。新聞を読んでいる白人にむかって、召使いの黒人がたずねた。「だんなが読んでなさるのは、その紙の黒いところですかね、それとも白いところですかい」白い部分は黒い部分の陰画であるばかりでなく、新聞というものがついに到達することのない事件、永久に姿をあらわさない文学がそこに顕在しているといいたいのを、いつも抑制していたからであろう。

だが抑制はいつも破れて、そこからガスがふきだした。親たちの小市民的な変質のしかたに、自分を形づくった歴史の不正を見ていたので、そこから遡行してより原理的な士族と地主の二つのサイクルを無縁なまま所有した私は、無媒介的な動揺のゆえに、親たちよりも一歩深くブルジョア・イデオロギーのなかに潜入したのである。そこから不可知論風の神秘主義を通りながら、自分を自然が作った断層のようにとらえようと熱中した。そのために有効な答だけを私は知識と呼んでいた。私の知識観を言葉にしてみればつぎのようなものであった。――知識人という存在は、特定の階級をもたないにもかかわらず一定の独自の機能をもつという風に規定してはならない。むしろ機能していないところに意味がなければならない。だがそれは機能の固定的限界の内側が外側へマイナスの形ではたらきかけているというのではない。知識の機能が一定の方法で限界に達するとき、その瞬間に限界の内側と外側は逆転する。だから、知識の運動を連続的にみれば、つねにその機能の限界の外側のみが知識それ自身の対象範囲である。この詭弁は、その後の私の行為と思考のすべてを基礎づけている。

ある方向へ跳躍することによって、逆の方角へ飛行する、桂馬とびとも蛙の宙返りともつかぬ運動過程しかもたない者にどうしてなったのか、われながら自分の存在の逆説をまだきわめつくしたわけではないが、とにかく私の出発はそんなぐあいなのであって、そのほとんど完全な自覚は十二歳くらいのときからある。たとえば書斎に逃避するといった言葉をはじめて聞いたとき、私は仰天したものだ。密室ほどなまぐさい現実の場があろうか。自分のなかの抽象性を肥えふとらせようとすれば、広い空間と具体的な労働がいちばんではないかと考えたからである。確実に計算された、緩慢な自殺は書斎とは逆の、生活の方にはみだすことしかあるまい。大げさにいえば、これは私のなかにおける最高のブルジョア・イデオロギーであり、その後の私はほとんどそこを越えていない。

　やや長ずるに及んで、知識人の卵たちと接触を多くもつようになったとき、私はふたたびおどろかされた。かれらは自分の存在の根拠を全然疑っていないばかりか、私がすこしでも遠く離れようとしている始点をめがけて、蟻のようにせっせと上ってくるのだった。知識人という存在をぱくつこうとするかれらは、にぎりめしをほおばる土方よりも、すなわち一つの悲惨をうれいげもなくのみおろさざるをえない人間よりも、はるかに無神経で動物的であった。私はかれらの汗の匂いに脱帽した。その健康さ、平俗さにうたれた。かすかなブルジョア的発展の余地がのこっているかぎり、かれらは蜜にむかう蜜蜂であることをやめなかった。「出世なんかあきらめているさ」といいながら、きりぎりすのように歌っていた。田舎医者の小せがれが自分を貴族のごとく感じなければならないとは、なんたる世界に生まれたのであろうと、にが笑いするよりほかはなかった。それにくらべれば、かれらは労働者のように正しいとでもいわねばなるまい。

日本資本主義がますます大量の知識人を必要としているとき、かれらのなかに倒錯された上向的な意識があるのは当然であるけれども、それゆえに「反体制」の側にも相当量の同質の知識人の需要があり、両方の「公認」知識人たちの倒錯性・上向意識から「おまえの位相は今日の現実に合致していない、おまえは誤まった存在である、存在することのできない存在である」とくりかえし宣告されてみると、私はかれらの無邪気な実数的歴史観に心からの拍手をおくりたくなってくる。つまり、そこからさきが論理の問題だと私にはおもわれる、その領域を指してかれらはいう。「日本には存在の機軸がない」「デモクラシーの普遍的背景がない」そのようにいうあなたに自身に「存在の機軸」「普遍的背景」はあるのかないのか。もちろん、ないのだろうな。ないというのは、実数的にないのだろうな。自乗して負になるような虚数的な世界としてみれば……一回革命をやってマイナスになり、二度目にやっとプラスになり、三度目の正直で爆発する業の深さを買うつもりはないか——などといってみても、しょせんあなたがたは生産によって義とせられ、額に汗する知識人だから、いらぬ苦労はせぬがよいのかもしれぬ。

たとえばここに七十歳の革命家と十五歳の革命家がいて……というのは革命家とは何者かがよくわからないのでそういうのだが……同一の用語で革命について論じたとしよう。長い対話のあとで、二人の戦略戦術はぴたりと一致した。だがそのとき、一つの質問が両者の口から同時に発せられた。それは「成熟した革命思想というのはすでに一つの矛盾だとおもいますか」でもよければ、「未熟さと革命性を分つ基準は何でしょうか」でもよい。放たれた二本の矢はたがいに衝突したまま、両者の中点に落ちるだろう。そこには、十月革命がパリ・コンミューンよりも数時間長生きしたとわかった日に、雪の上に走りでてワルツを踊ったというレーニンが立っている。彼のなかにすんでいた老人と少年はどんな風につきあっていたのだろう。おそらく老人はきらきらした眼つきで早口にしゃべり、少年はあくびばかりしていて――いや、いずれにせよ彼のなかに新しさと成熟とを同時に成立せしめねばならない賭けの場があったことはたしかである。

もし彼が、十月革命はパリ・コンミューンよりも長生きするという状況を先取していたならば、何もワルツを踊ったりする必要はなかったのだ。数ヵ月さきの状況だって、彼はそれを先取していたわけではなかった。というよりも先取する必要がなかったし、する気もなかったであろう。ひたすらジャムのように煮つめた原理を後生大事にしていたのではさらになく、たぶん彼は数時間あとくらいの状況の先取に全力を賭していたのではあるまいか。そこに私は実行者というものの希望と絶望、あえて放棄する部分としない部分のいっしょくたになった塊りをみる心地がするのだが、数カ月さきの成否もわからないのに革命をおっぱじめるというのは、たしかにはげしい頽廃によって鞭うたれていなければできないことであって、レーニンの片眼はすくなくとも数時間おきに、その頽廃の目盛りをにらみつづけていたにちがいない。花田清輝が長期のインターナショナリズムを唱え、吉本隆明が五年の射程を唱えるのに対して、私は数時間の尺度を主張するというのではない。時間や空間のものさしなら、巨視的なものが微視的に、微視的なものが巨視的にみえる、とてつもない不断の倒錯という構えがありさえすれば、充分ではなかろうか。それよりも反動思想の、なだらかな裾野のつきるところから、変革思想の山脈が起りはじめるといった「良識」とたたかい、最高の変革思想と、最高の反動思想は鼻をつきあわせて立っているという定式を、いまこそ強調すべきだとおもう。

もちろん、いま最高の反動思想といえば国家独占ブルジョアの思想であるはずだが、それは思想の非人格化を極端にまでおしすすめた形であるから、反動イデオローグの内部に結晶するよりはかえって当代の進歩思想家のなかに非結晶的に定着する可能性の方がつよい。なぜなら、かつてファシズムとして顕在化されたそれはブルジョア・デモクラットの反動性よりも弱く短命であったことから、また戦後史がさらにその延長戦の結果を証明したことから、今後のそれは局所的にだけ氷山の一角をあらわしながら、「見えない哲学」としてひろがるよりほかはあるまい。それは大衆の後衛部分を透過し、半転しながら、一見して前衛のごとく装っている部分にサイフォンのごとく吸いあげられるだろう。変革思想にも反動思想にも一定の距離をとり、平均値的多数の中間論理を支配することに汲々としている健康にして平俗な知識人たちは、これに対するなんらの防衛手段をももちあわせていない。

事実、ひところ大衆天皇制とよばれたそれは、透明な独占資本型の天皇制となって静かに威儀を正しはじめた。それの表示しているのは権力の性格ではなくて、その構成スタイルであると私は考えているが、同時に威儀を正した社会党系労組幹部は今度の選挙で共産党を支持した労組幹部を一部でひきずりおろしつつある。かれらをしてやすやすと憲法をふみにじらせるにいたった原因が、皮肉にも共産党の威儀を正した「統一と団結」論の呪縛であることは疑う余地がない。これら一連の現象に対して、なおも凍ったペンギン鳥のように威儀を正しつづける知識人があったとしても、それは私の知識人論の範疇の外にある。

もしあなたが、簡易天気予報器としての「実用」向き知識人ではなく、反体制陣営の鍛冶屋の一人であろうとするならば、まずその実数的な認識法をお棄てなさい。それは書斎にも労働者農民のなかにも逃避できない人間にお任せなさい。人民の頭上をめがけて、あなたのなかの変革思想と、わかちがたく結びついている反動思想の最強部分を、ふりおろしなさい。確実にあなたは倒れます。倒れなければ、倒さない方が悪いのだ。あなたが倒れる。そこから、空の空から、こがらしのようなものが吹きはじめる。プロレタリアの独裁、ばんざい。——そんなぐあいにうまくはいかないことを覚悟して、もう一撃どうぞ。

じょうだんをいうのではない。現に私は十数年間ほぼこの通りのことをやってきた。私のやり方は科学的に正しいなどといえるしろものではないが、別の道があるとは一度も考えたことはない。自分の方法に懐疑をもたないとは、その点からしてすでに知識人の資格を欠如しているではないか。ときどき考える。私が内面的にそのなかにふくまれている階級は何であろうかと。すると、武士、地主、小市民、労働者などやみくもに出てきてしまう。そこで私は、混合雑種の無階級というのはあまりに超近代めくから、ヘヴィ・プロレタリアという新階級を設けて、それに所属することにした。この階級においてはヘヴィ・インテリでないと知識人とは認められない。したがって、私は知識人ではない。知識人と私のちがいは、つまるところ所属しているそれぞれの階級の内務規定の差にもとづくものらしい。ヘヴィ・プロレタリア階級には、ヘヴィ・インテリがまったく不足している。

（一九六一年一月号「思想の科学」）

転向論の倒錯

1　力学的に

安保闘争の「高揚」のさなかに、私は日本共産党から離脱した。その理由については何度か書いたのでくりかえさないが、私がいわば積極的離党というスタイルで非転向の力学を追求しなければならなくなったのはいうまでもない。そこで、あらためて転向とはなにかという問題を自分流に考える習慣が、離党の前後からうまれた。それについてのべてみたい。

なにがいったい転向なのか。他人はさておき、自分自身に起りうる転向とはどのような現象であろうか。およそ思想というものに一定の力学的意味を認める人ならば、だれしもこの疑問につきあわないわけにはいかない。しかし、考えてみると転向といわれるものはなにか単一の思想現象ではなく、いくつかの思想現象の異なる系が複合したものではないかという疑問がうまれるし、さらに思想現象だけでなく、それと行為の複合でもあることがあきらかである。したがって、短い命題に凝縮した転向の定義をいそいで求めることなく、まず問題を思想の転向にかぎり、それを力学的な比喩によって――その人間に固有な思考運動の持続的な回転軸が重大な変化をすること、とでもしておく。

この仮設には、ある種の前提がある。つまり思想を思考運動の総体としてとらえるということ、この運動をある程度整序されうる回転運動として考えるということなどである。いわば、それは私の思考の範型でもある。このばあい、むろん道義的な意味での価値観は排除されている。また思考運動の回転がモデルに近いかどうかという調和の美学も拒否されている。もっと別な形で、思考運動固有の価値がみいだされることが当然に予想されている。

このような規定は、従来の転向論議とはすでに異なる出発点に立っているであろう。それは鶴見俊輔らの転向研究グループがとった、転向に関する力学的な態度をさらにはっきりさせようとしているからにほかならない。でなければ、転向問題に関する普遍的、包括的認識は得られるべくもない。だが、このグループの態度は、出発点においてそうでありながら、まだいかにも倫理的、美学的な情念から切断されておらず、そのためにいつのまにか従来の転向論にみられる性急な価値観の導入、概念の不純さにひきもどされてしまっている。そこをいくらかでもはっきりさせておきたいというのが、この文章の目的である。

2　いくつかのおとしあな

転向論にはいくつかのおとしあながある。まず第一に、戦前の権力が持っていた転向の概念を受けいれるかどうかということがある。一九四三年三月の「司法保護資料」によれば、共産主義者だけをとってみても、総数二、四四〇名のうち転向一、二四六名、準転向一、一五七名非転向三七名となっている。非転向が三七名も！　そして準転向つまり準非転向が一、〇〇〇名以上も！　この数字は私が非転向ということについて抱くイメージと戦後の運動から得た実感とを重ねあわせるとき、あまりにも大きすぎる。戦前の運動は大敗北で、そのため転向者が続出したというのが、近ごろの党史的常識のようだが、私はまったく別な感じをもつ。運動というものはまともに敗北すればするほど多くの非転向者をうむものだし、敗北によって転向するというような人間は一般的にいってはじめから何者でもなかったということでしかない。拷問によってというなら、話はおのずから別であるが。――いずれにせよ、私は権力のあげている数字は過大であると思うのだが、それは両者の転向に関する定義がそもそもくいちがっているからである。

第二に考えねばならないことは、権力の転向概念は思想的分類ではなく、行為的分類であるということである。転向声明書に署名したかどうか、ハンコをついたかどうかという即物的な見方が権力の認識の中心になるのは、思想を思想外的に弾圧しようとする者がとらざるをえない方法である。危険なのは、そのような権力にとっては自然な認識法が被圧迫者の側に逆輸入されることである。ハンコをつかなければ非転向であり、非転向は稀少価値であり、一切を聖化するといった浅薄な実用主義と物神崇拝の野合が、日本共産党内でどのように機能しているかということを考えるならば、この区分は大切である。ただし行為的転向はかならずしも思想的転向でないという、偽装転向の意義を評価する一面の強調よりも、むしろ行為的非転向かならずしも思想的非転向でないということの強調の方がより重要である。なぜなら前者の立場では、権力よりもわれわれの方が行為的転向について寛容であるということになるが、権力の基準よりもわれわれのそれの方がきびしいのが当然だからである。

第三に、転向問題の階級・階層的基盤をあいまいにするわけにはいかぬ。転向者があのように権力から厚遇されたのはなぜだったか。最低水準にある庶民の眼からすれば、あれくらいの弾圧は弾圧ではないともいえる。拷問というが、けつわり（逃亡）をする坑夫だって発見されれば、それ以上の私刑を受けたのである。しかも転向すれば「思想善導」運動で、かかる庶民の思いも及ばぬ職に就くことができる。もしこの事実を彼らが知っていたなら、争ってマルクス主義の洗礼を受けたであろうに、日本型阿Qのお株を西尾末広や松岡駒吉など、ひとにぎりの中途半端な連中に奪われてしまったのは惜しいことをしたものである。最下層プロレタリアートに阿Qの大群を作りだせば、すべての様相は変ったのだ。

それができないということと、権力の厚遇とは密接なかかわりがある。つまり下層の眼をもってすれば、それは弾圧という名の保護であり、抵抗という名の被保護でしかないのだ。ある水準から上の、歴史的にいくらかの支配技術を身につけた階層でなければ知ることのない、ほのかな打算の領域——支配することによって屈服し、屈服することによって支配する中間支配者の位置——それをぬきにして日本の転向問題は考えられない。鶴見も書いている。「思想犯のとりしらべにあたった官吏たちは、とりしらべられている人々とおなじく帝大出身の秀才であり、同じ根に育ったものとして、被告の教養をも感受性をも深く理解した」だが、このエリート意識はもはや、自分が社会上層の第一級的存在とかたく結びついているというような明治の学士ほどの確信もなかった。一方には天皇、他方にはコミンテルンという最高存在がある。属している階級は同じであり、心情的なれあいの要素に不自由はしない。歯をむきだした凄惨な抹殺の姿勢はより低い出身階級を持つ権力下層がとることはあっても、権力の中層はそれを抑える。このようなばあいの対決は、上からと下からの互いにコミュニケートしあわない、全存在を賭けた対立と同じように機能することは決してないという定理を忘れてはならない。

第四に、いわゆる「転向」とはかかる権力中層と同位の転向者が合作してこしらえあげた心理的な発明品であるということである。もちろんそれは、支配技術としては古代にまでさかのぼる伝統的様式の一種であって、「転びキリシタン」の昔から愛用された常套手段である。強烈な力で外面から抑えつけるのではなく、やわらかに内面から隷従させ、一人一人を相手とするよりも、人間的な系列全体をねらうという方法が発展して、ここまでたどりついたのである。そこではっきりしている新しい特色といえば、次の二点である。すなわち単純な屈服ではなく、屈服の内発性を強調していって屈服そのものを思想の転向とみせかけること。みせかけの作為がみずから判別できなくなるまで、この擬似的な内発性は繰り返し倒錯して強調されねばならない。つぎに、権力の一方的な考案に被圧迫者がとびつくという従来の方法ではなくて、方法そのものを被圧迫者自身があれこれ思案せざるをえないようにしむけること。つまり「ねずみが作ったねずみ捕り」であること。

おそらく権力の上層は、思想が中間層の渋好みに気に入る上品な迷彩でしかないことを本能的に知っている。彼らには、思想の毒などはどうでもよい。その機能としての行為こそ問題なのだ。だが権力中層は、強い擬似意識によってしかみずからを支えることはできない。そこではみずからその擬似性に侵されながら、思想を擬似意識としてではなく、擬似意識を思想として尊重する態度がある。したがって転向という名の、思想的スタイルをとった思想外的な強制のからくりはある程度無意識の作為であるといえる。そこに、転向問題がほとんど思想問題に見えるほどの、独特の効果があがった理由がある。いわば「転向」とは、あたうかぎりの低姿勢をもって反対者の内側に思想外的に接近し、そこに自己を浸透させえた者が勝利するという、わが国独特の闘争方法からうみだされた改宗戦術であり、その記念碑的な結晶なのである。

3　「永久転向」としての非転向

これらの諸点について、日本共産党が今日にいたるまで、なんらの方法的視点をも持ちえないでいるのはいうまでもない。それは戦後共産党のいわゆる非転向部分が、おのれの非転向が思考のはげしい回転運動そのものによって支えられたのではなかったことを認める省察力を持たないことを示している。その理由は、彼らが権力中層と同位の擬似意識から一歩も出られないことにあるわけだが、それはしばらく保留しよう。

この欠陥を意識しながら、包括的かつ実証的な転向論を展開した鶴見グループの基本的見解もまた、私にいわせればすこぶる甘いというほかはない。彼はグループの共通認識として、転向を「権力によって強制されたためにおこる思想の変化」と定義する。(転向の共同研究について——『転向』上巻) それによると、権力とは国家権力のことであり、強制とは直接間接に服従を要求されるすべての方法をふくむ。思想変化の一方の極に自発性を、他方の極に被強制性を置き、被強制性の極から自発性の極にまで波動がつたわり、思想体系の中心部を占める方位決定的部分が変化するとき、これを転向の確定化とみなす。このばあい、権力の指示方向に反撥することによって起る変化は逆転向とよび、転向への未完の過程は転向の潜伏段階と規定する。

これはいわゆる転向を思想のダイナミズムとしてとらえ、転向現象の生産性をすら示唆した最初の問題提起である。それは次のような倫理的、あるいは論理的前提に立っている。㈠転向というのは必ずしもそのままでは悪いことではないということ、㈡ただ転向の道すじをはっきりさせる手続きをとることが、本人にとっても公共にたいしても有用であるということ、㈢転向を研究し、批判するわれわれにとって観点の自由な交流を許ってゆく集団的努力が必要だということ、㈣転向の事実を明らかに認め、その道すじをも明らかに認めるとき、転向は私たちにとってある程度まで操作可能になり、転向体験を今までよりも自由に設計し操作する道が今後ひらかれるようになるだろうということ。

このばあい、だれでも一応立ちどまるのは、㈠の転向はそれ自身では悪でないという命題である。この命題の裏づけとして提出される、鶴見の次の主張は、ある意味で彼の哲学の要約ともいうべき簡潔さで、この個所を照しだす。「非転向の思想が純粋かつ十全に成立することができるとすれば、それは形式論理学の支配する領域においてであろう。転向の思想はたえざる意味の再定義と変化、命題のさしかえを必要とする、弁証法のはたらく領域である。非転向の思想の世界においては、はじめに十全な形でとらえられた正しい信念が思考過程の終までつらぬきとおす。転向の思想の世界においてはむしろ、まちがいと挫折がこれが最後ということなくつきまとって、発展の契機となる」だが、ここでは、転向の概念がなお多義的にすぎるのではあるまいか。それはまず行為的世界における転向と思想領域におけるそれとが混淆しており、つぎに権力に対する方位と、思考の軸における符号の一般的な転換とが「さしかえ」られている。

最初の点についていえば、この規定はあまりにも最初から思想内的に提起されているといえるだろう。わが国の転向問題はなによりもまず権力の思想外的な攻撃方法として、またそれへの思想外的な反応形式として考えられるが、それがとにもかくにも思想のスタイルをとりえたのは、権力の当事者や転向者の内外にひろく擬似意識または二重意識が存在し、思想の偽装性がなかば無意識的に浮かびあがったからである。そもそも外からの強制が思想そのものに直接の影響をあたえることはできない。思想はあくまで思想の内側から自分自身を選びとる。強制が意味をもちうるのは、鶴見のいう「信念と態度の複合」としての思想に一定の函数関係をもつ行為が、思想を裏切るときだけである。行為が思想を裏切るのはわれわれが日常経験するところであり、それは思想の顕在部分と潜在部分の背反からうまれるといえるだろう。資本主義の滅亡をいぜんとして信じながら転向声明書に署名してしまうといった事態はざらにあることである。このばあい「思想体系の中心部分を占める方位決定的部分」はなお変化していないとしても、それはあきらかにひとつの事実の完結であるというばかりではない。客観的に見れば、なるほどそれは思想の潜在部分が顕在部分に対してはっきりと優位を占めたことを意味し、変ったと称する部分がより規定力の強い不変部分の直接的な表現として生地をむきだしたということでしかないかもしれない。しかし主体の立場から見るとき、それは自分のうちに浸透した権力の思想が反権力思想を白日の下でうち負かしたというのでないかぎり、自覚的な思想活動をみずから放棄したということでしかない。つまり光のなかで敗北したか、闇のなかで敗北したかが問題である。そのいずれにも徹底しえない薄明のなかの敗北――自覚的であるか、無自覚的であるかも定めがたいゆえにますます敗北的であるところの敗北――それが転向者の絶対多数であったにちがいない。これはもはや二重に思想領域から遮断されている転向であって、鶴見らのいうように転向そのものは悪ではないとか、その道筋をはっきりさせろとかいっても、なんらその主体と関わりあえるはずもない。日本権力の発明品である「転向」のからくりの痛烈さは、陽気な偽装意識の持主でないかぎり、人間から「考える行為」を追放するという点にある。裏返せば、倫理的に「考える」資格がなく、論理的に「考える」意味をもたない人間が、なおも考えざるをえないところに転向の刑罰がある。このような種類の転向は、明証しうる形での思想問題ではない。いわば前思想なり原思想の領域であるが、それを取り扱うにあたっては「思想は権力から強制されえない」という自明の命題をはっきりさせないかぎり、その主体に侵入することは不可能なのである。権力による思想の強制に屈服することと、権力の思想と戦って敗北するということとはおのずから別である。鶴見の規定は、たやすくすべてを思想内的にとりいれてしまう嫌いがあり、楽観的にすぎる。思想の変化として考えられない転向がある。そもそも思想の領域でない転向がある。それこそが固有日本的な転向であり、すべての転向のなかにその要素はふくまれている。同時にこの不変の、非思想的な質は当然に非転向にもふくまれている。したがってこの非思想的領域をそれと認めることによって思想の対象としないかぎり、われわれはあの薄明のなかの非転向を撃つことはできないのだ。

第二点になるが、転向＝弁証法、非転向＝形式論理と範型的にとらえられている鶴見の規定はどのような限定条件をもたねばならないか。つまり権力に対する思想の方位的変化と、思想軸の一般的な変化とが混同されているという点である。もとより何の変化もしない思想などありうるはずもなく、そのような思想を想定すること自体ばかげている。しかし、思考運動の持続的な回転のなかから内発的にうみだされる軸的変化が起っても、権力に対する思想方位はかならずしも逆転しないということが十分にありうる。もしそれがなければ、鶴見のいうように「純粋かつ十全」な非転向とはあきらかに「形式論理学の支配する領域」でしかない。だが、たとえば芸術上の流派《エコール》を考えてみるがいい。特定の世界観の芸術的表現がかならず特定の流派と結合しなければならない理由がないように、権力に対する方位を基本的な思想軸として考えれば、その軸はさらに多くの軸に分解されうる補助的な、あるいは単元的な軸の集合として理解される。この単元軸のどれかが符号を変える、つまり認識の価値方向を逆転することがあったとしても、それは直ちに世界観の基本軸における符号の逆転ではない。定着か流浪かといった二律背反的命題に接すると、人々はすぐさま定着＝ナショナル、流浪＝インターナショナルといった常識にしがみつきやすいものであるが、定着的流浪か流浪的定着かというふうに概念が交叉しはじめると、こんな定式はもろくも崩れさってゆく。まして非転向というばあい、それが拒絶している対象は形式論理なのである。鶴見がいおうとしているのは、形式論理を形式的に排除しようとする者はかえって形式論理を裏口からひきいれることになるという一面であるかもしれない。それかといって、転向＝弁証法、非転向＝形式論理という範型はそれ自身あまりに形式論理的であることをまぬかれない。

むしろそれは次のようにいうべきである。——単元的な軸における転向をするどく、早く繰り返さないような基本軸の非転向は思想的に無意味であり、したがって十全の意味における非転向ではない、と。つまり私は、形式論理的にいうなら、転向＝形式論理、非転向＝弁証法と規定すべきだというのである。そこには世界観の基本軸はどのようにして確定化するのかという、それ自身世界観に関わりあう原世界観的な問題がある。鶴見はそこを「非転向の思想の世界においては、はじめに十全な形でとらえられた正しい信念が思考過程の終までつらぬきとおす」と、いかにも形式論理的に卑小化している。このように卑小化された非転向などは、私にいわせればきわめて安直明白な転向の一形態にほかならない。一九四三年春に三十七人の非転向共産主義者がいたという官庁統計を私が信じないゆえんである。唯物弁証法に関して非転向であるというのは、そういうことであろうか。世界観の基本軸は単元的な思想軸の集合であると前に書いた。だが、もとよりそれは算術的な集合ではない。思想の軸とは、相互に緊張しあい排斥しあう二つの極を結んで得られるものであり、一本の思想軸に対してさらにこれと対立する他の思想軸が存在するとき、これらの軸と軸を結ぶ高次の軸が成立する。この軸を流れるエネルギーの方向が認識の価値方向となるわけだが、そのエネルギー自身はなんら価値認識をふくんでいるものではない。それはただ思考のエネルギーの内在律にしたがって、流出し氾濫する場を求めていくにすぎない。

あたるをさいわい疑いをつきつけ、すべての障害物をつきやぶり、浸透し、のりこえようとするその力にとって、方向というものがあるとすれば、それはみずから承認した普遍妥当性ということのほかには何物もありえようがない。いわば否定の力が拡がりを求めるということのなかにしか方向性は存在しない。どのように高次の思想軸が成立しようとも、思考のエネルギーを始源的に構成する「否定的に拡がっていくこと」という方向性は失われることを論理的に許されない。したがって、この命題に関して「非転向」であるということが、この命題の形式論理的な墨守でないことはあまりにも当然である。

否定的に拡がる世界が実現されていく過程は、それよりほかにありえようのないものであって、外部からつけ加えられた価値基準にしたがうものではない。そこでは、人間はいわば転向不能である。この不能の一点を強く保持するということは、無数の単元軸における不断のめまぐるしい転向を保証する。またかかる「永久転向」の集合によってのみ、基本軸の不動性は保たれる。それは回転している独楽の運動に似ている。もし単元軸のどれかが固定されれば、独楽の回転は狂ってくる。もちろん、このような運動は範型としてしか考えることはできないが、範型の想定を形式論理とよぶことはあるまい。そして範型的にいえば、転向こそ固定すべからざるものの固定にほかならない。

4　前衛概念の円環化へ

鶴見グループの転向規定について、概念の組変え、または再分類を要求するような反対論をのべてきたが、それは彼らの見解が転向一般と思想の生産性とを直接結びつけて、これまでの転向論の不毛をうち破った興味ある作業だと思うからである。ただ私は、彼らがなお思想の転向一般と思想基本軸の転向と思想領域と主体的に結びつかない行為的転向とを混同しているために、しばしば権力と共産党の俗流転向論をひきいれてしまっていることを警告したにすぎない。日本共産党が最も俗物化しているのは、この転向に関する公式的沈黙とその周囲においてであるから、どうしてもそこに範型的な基準をみいだそうとする努力を重ねなければならない。

思想の基本軸の出発点は、思考のエネルギーに固有内在する力によって否定的にひろがる世界の普遍性という極であることをいった。これを認めない者は、権力であろうと権力打倒をかかげる党であろうと、思想の敵である。つまり、それは不断の回転こそが軸であるということにほかならない。この地点において見るならば、非転向の内包は永久転向であり、永久転向の外延が非転向である。このことを認めたくないという衝動は、広く日本人の習性のなかに分布している。軸と回転をきりはなして、回転しない軸または軸をうまない回転のどちらかに偏倚することが、日本社会の歴史的な二重構造を反映する二重意識を偽装的に整理するのに都合がよいからである。

社会構成的にいって、日本の上層部分と下層部分の接合のしかたはきわめて不安定である。それは下層部分の構成が均質でなく、いくつもの異なる系の集合であって、独立したマッスとマッスの間に複雑な断層が走っているためである。したがって、上層部分は下層部分をつねに一種のボナパルティズムによって支配せざるをえない。上層と下層の力関係が浮動しているばかりでなく、その力を測定することも容易でない。そこで軸をうまない回転——無責任と無論理がかえって状況に適応する可能性をもつことがあるし、同じ理由で上層と下層との間に仮設された主観的な約束を不動のものに転化して考えたいという心理的操作——回転しない軸がうまれる。後者がいわゆる「スジを通す」ということである。つまり思考の基底に思考の停止という原思考様式がはたらいている点では、状況追随もスジを通すことも変りがない。にもかかわらず状況追随の無論理は、被支配者の倫理として顕在化され、支配者は隠れた支配技術としてこれを利用しながら、それを秘匿する。これに対して、スジを通す方は上層部分の倫理としてさまざまに美化され顕揚される。包括的論理を認めようとする日本人は、そこでまずおのれの二重性を統一するカギとして、スジを通そうと試み、それが障害にぶっつかると状況からの再出発をはかる。この転換の間に思想次元の根本的変化はない。なしくずしの転向、ずるずるべったりの転向が発生するのはここからである。その社会的根源は二重構造の接合関係に対する、自覚されない意識部分にある。転向がこの接合部に近い中間的な階層において、もっとも顕著で微妙な様相を呈するのは自然である。転向日本の転向の独特な様相を規定している社会経済的な基盤はここにある。転向社会ファシストといい、転向農本ファシストといっても、この接合部からさほど遠く離れた存在でないことはあきらかであり、なるほど思想のベクトルからみれば百八十度の転換であるようだが、その実は彼自身の地点はほとんど一メートルも動いていないことがきわめて多い。

このような中間的な地点は、思考の回転をはかるには有利な地点である。彼はさまざまなイデオロギーを重ねあわせて、いくつかの自己の分身にそれぞれのイデオロギーを帯びさせることができる。また同時にこの地点は意識の偽装を強く迫られる場であるために、その回転を停止して確乎たる軸を発見したいという欲望につねに追いかけられている。浮動する自己の座標を、自分から独立した価値基準から決定しようとする。――ところで、二重構造の接合部とは上部と下部のなだらかな連続ではなく、むしろその断絶であるから、ある基準的存在と自己との関係には飛躍がふくまれざるをえず、その意味で基準は現実に普遍妥当する一本の線であるよりは、理念的にするどく収斂した「点」である方が、偽装性をより強めて、そのはてに意識の純化を得る道となりやすい。基準的存在と自己との関係を、点と点の対応として考え、基準的個のなかに自己を没入させようとする方法は、いうまでもなく一種の秘教的な態度であって、普遍的な個を想定する個人主義やマッスのなかに有機的な軸を設定する集団主義と何のかかわりもない。このことは、戦前の共産主義者において、転向の論理がつねに「日本の特殊性」を強調しながら、天皇制への秘教的な擁護におもむいた理由の説明にもなりうる。特殊的な個を基準にするがゆえに、天皇はたやすくマルクス、レーニンに移行し、また逆もどりをして、佐野・鍋山の声明後一月のうちに未決囚の三〇％、既決囚の三六％が一挙に転向するというような事態がうまれうるわけである。佐野学は妹操子あての手紙に書く。「共産党を脱すると一所に真実の階級運動から消えて失くなるのを称して没落といふ。僕等勿論そんなのと同じでない」この言葉には、本来的に正当な論理がふくまれている。共産党でなければ階級運動に参加できないという理由はどこにもないからである。しかし三二テーゼのいう「封建性の異常に強大な要素」と「独占資本主義のいちじるしく進んだ発展」のなかにそれぞれふくまれている二重性を統合するために、権力はすでに天皇という特殊的個を発明していたので、それを否定する存在がただ一個しかないかぎり、共産党が物神化されやすい条件は十分にあった。この呪縛からのがれるためには、日本の特殊性と天皇制擁護はもちろん切り離されなければならず、さらに日本共産党が擬似意識的にインターナショナルな姿勢をとっている事実のなかに無自覚的なナショナリティが潜伏していることを指摘せねばならなかった。このナショナリティは基準的個への自己埋没という形をとっており、それは思考の軸を否定することである。佐野が唱えた「人民天皇制」は、このような点と点の対応から、人民——天皇という客観的な軸と自己との対応に転化したという意味では、一つの発展である。だがそこでも天皇と人民という二つの極が可逆的にプラスとマイナスの符号を交換しあう速度に富んだ、持続的な思考回転の可能性はなく、のろのろとした、風まかせの、一時的な交替があるにすぎない。それは思考軸の一方の極に価値認識の符号を固定することが、その極が権力を表示する極であろうと、反権力のそれであろうと、思考運動の衰弱と休止を招かざるをえないことを示している。

　転向が或る基準的個への従属一元化から離脱することと考えられるかぎり、転向の思想基準はうまれない。というよりもむしろ、そのような形で考えられる転向も非転向もともに思想を思想たらしめる出発点からの背離であったと考えてよい。したがって、転向問題を思想内部に復帰せしめるためには、反権力というものがどのような思想軸でとらえられるべきかを考えなければならない。つまり反天皇制勢力が軸的な広がりをもたず、共産党という一点に凝結して存在しているとき、その現象をそのまま思考の範型としてしまったところに、あのような転向をうみだす転向以前の誤謬があったのである。もちろん形式的には、共産党——人民という思想軸が存在していたかにみえる。だが人民はあくまで裾野であり、その頂点に前衛党があるというピラミッド型の思考は、党と人民を同位の両極として認めないから、軸を成立せしめない。党が一つの思想的抽象として考えられるならば、それに対応する人民も抽象としての収斂性をもたなければならない。党が一個の凝縮された結晶であるのに対して、人民は散漫な広がりであるという観念からは、二つの極の間で符号を交換しあう相補的な規定性はうまれえず、一方的に党は正であり人民は負であるという通俗的な官僚根性が強化される。私がかつて、前衛——原点という両極の設定を考えたのは、思想的抽象としての人民をはっきりと意識せんがためであった。

　権力——反権力の軸が戦前において天皇——共産党であったとするとき、両者の符号が逆転される地点はどこか。それを考えないかぎり両者の関係は点と点の対応であるにすぎず、そこに軸的観念をもちこもうとして非人民的共産党と人民的天皇制とがすりかえられたりするのである。幻想的にならば、人民的天皇制だって成立しない概念ではない。幻想だから観念的にも成立しないということはない。幻想が幻想として成立する現実的根拠はある。その現実はまた前衛が成立する根拠でもある。その双面的な根拠を見失えば、今度は前衛が幻想化される順序になるのだ。

鶴見グループの転向規定であいまいなのは、「思想体系にとっての方位決定的部分」が思考運動そのもののもつ独自的な性格からどのようにしてうみだされるのかという点にある。方位の決定が思考運動の外から注入されるのであれば、思想の主体は喪失する。このばかばかしいほど自明な事実は、にもかかわらず日本の共産主義運動のなかで正当な場を確立することはなかった。思考のエネルギーが固有にふくんでいる無定型の拡散性によって、障害物と衝突するとき、その対極にあるもう一つの障害が発見され、両者の対比のなかではじめて価値の観念がうまれ、かかる思考軸の複合から思想方位の集合体としてのイデオロギーが形成されていく過程を――かえって運動の自然成長性の容認と倒錯して受けとる考え方は今日にいたるまで一貫している。たとえばレーニンが『何をなすべきか』のなかでのべている次のような言葉――「階級的、政治的意識は、外部からしか、いいかえれば、経済闘争の外部から、労働者と雇主との関係の圏外からしか、労働者にもたらすことはできない。この知識を汲みとってくることのできる唯一の分野は、すべての階級および層と国家および政府との関係の分野、すべての階級の相互関係の分野である」といった言葉は、単に経験主義の否定であるばかりでなく、イデオロギーをうむものは思考の運動それ自身でしかないという主張であるにもかかわらず、党はそれを比喩的に逆転して、思想の核（方位決定的部分）は思考運動の外から、つまり上部機関から与えられなければならないとする。そこにはひとりの人間のイデオロギー形成過程は完全に無視されている。

いったい、一つの思想体系のなかに方位決定的部分なるものがどのようにして存在するのだろうか。鶴見によれば、「思想体系の中心部には、それらの思想をかえることがその思想体系全体に影響をあたえる思想の群」があり、その群を方位決定的部分とよぶのだという。たとえばマルクスがプロレタリアート独裁の不可避性という理念を放棄したとしたら、それは彼の思想体系全体に大きな変化が生じたことになる。だがその変化は、プロレタリアート独裁の理念を支えている複数の命題の一部または全部が変化しないかぎり論理的には起りえない。してみると、ある高次の命題の方位を決定しているのは、より低次の命題の集合であってその逆ではない。思想体系の中心部にあるもっとも高次の命題は、その体系を別の体系と区分するという意味ではなるほど方位を決定するものであるが、その体系の生成過程においてはもっとも方位決定性の弱い命題である。反対に、「すべてを疑え」といったマルクスの思考原則は、彼の思想体系を他から区分するものとしては方位決定性の弱い、低次の命題でしかないが、内在的にはもっとも一次的な方位決定性をもっている。だからもし思想体系内部の方位決定を考えるとすれば、それは単なる中心部分ではなくて、内在的・一次的な方位決定の極である思考エネルギーの否定的な拡散性から、外在的・高次的な方位決定の極である特殊命題を結ぶ軸として発見されなければならない。思考の出発点からいちおうの完結部まで、この方位決定の軸はしだいに普遍から特殊への道をたどっている。一つの命題に対する方位決定はこの軸の各部分において変化すると考えることができるから、したがって転向もまた、この軸の各部分に対応して、それぞれの段階が成立するといえないことはない。

おそらく転向研究グループの意図は、単一の集中点としての共産党への忠誠か否かという転向基準を、このような複数の地点での方位決定へ引き直すことによって、新しい角度を得ようとするにある。いたずらに高次の命題を基準にして、すべての転向を同一視することは、転向の振幅を大きくする結果しかうまないという歴史の反省がそこにある。だが、もしこの態度を徹底しようとするのなら、彼らはさらに明確な基準の逆転を行なうべきである。思想的抽象としての前衛――大衆というサイクルが理念のサイクルとして充分に成熟しておらず、現実のサイクルとしても存在していないときには、転向のサイクルもまた完結していない。このようなとき、転向の対象軸である前衛――人民への裏切りとは、その両極のどちらに重点をおいて考えられるべきであるか。前衛への忠誠よりもむしろ人民への忠誠を、すなわち忠誠観念の止揚を基礎に考えられるべきではないか。世界観の頂部よりもむしろその認識論的土台にきびしい基準をつきつけるべきではないか。すべての命題をつねに思考運動の内在的原理に還元し、そこにプラスの符号をいちおう確定すれば、これまでの転向基準を倒立させる陰画が得られる。この陰画の方が前衛への忠誠観念を基礎にする転向区分よりも厳密であり、そのゆえにいっそう峻烈であるといえる。

すなわち、そこでは回転をやめた思想はその地点で思想ではなくなるという唯一の基準が、転向か非転向かの分れ道になるのである。そうすることによって、従来の通念的な転向区分は思想のレベルに沿って破壊される。もし彼が偽装された意識によって選んだ世界観の諸命題から脱落しても、阿Qが一度だって転向も逆転向もしなかったように、それは彼の転向ではない。はじめから彼は前転向的な状況にあったにすぎない。彼が意識の偽装との葛藤を繰り返して得た命題だけが、彼自身の思考運動の所産なのである。だからもし彼が、偽装のための転向であるか転向のための偽装であるかを最大限の緊張をもって検証せずに、偽装転向を行なったばあいは、それは真正の転向であるか、または前転向の延長である。さらに彼が、どのような程度に反権力の姿勢をとりつづけようとも、おのれの世界観の維持に思想外的な基準をいささかでも導入するならば、それは思想領域における転向のモデル・ケースである。

このような規定による完全な非転向が現実に存在しないからといって、それが理念として現実を裁断しえないという主張は成り立たない。そもそも前転向状況、すなわち自覚された思想領域の前段階にある信条の廃棄をもって転向とよんだところに、権力と転向者のおのれを美化しようとする詐術があり、この詐術を見やぶりえないままにうかうかと敵の転向区分をのみこみ、そこからうまれた非思想的な価値意識のために一切の思想点検を放棄した戦後党の再編過程こそは、正当な意味における理念の欠如が何を結果するかをあますところなく語っているからである。戦前において、少なくともあの護教的な色彩をとりのぞくための活発な運動がなされていたら、たとえ多くの修正主義が登場したとしても、日本の思想のトータルな変革のためにはその方がはるかにましであっただろう。だがこの見解が直ちに一つの修正主義と化さないためには、転向研究グループのように思想外的な区分をそのままにして思想内的な基準を作ろうとするのではなく、まずその区分を破壊すべきである。

今日、戦前とはちがった形で前衛党――人民のサイクルは崩壊している。戦前においては、少なくとも一つの集中点でありえた共産党が、現在ではその集中性すら失って、しかもなお反権力の軸にそれを克服した極が存在しない。おそらく当分の間、このような極が現実化する見通しはないと考えられる。いわば前衛の不在という現実のなかに前衛が求められるよりほかに、既知のスタイルで前衛が再登場する可能性はない。だが、前衛の不確定という事態は、過去における擬似的な、それゆえにいっそう教条的な収斂の解体過程であるから、やがてはその逆の再集中過程がはじまるのも自明である。そのときまたもや前衛党の物神化を繰り返さない予防措置は現在の努力のなかにある。この努力とは、前衛の不確定性を思想領域で守りぬき、前衛概念の円環化をはかることよりほかにない。それはまた客観的には、日本社会の二重構造を無媒介的に単一サイクルへみちびこうとするのでなく、同次元での二つの異なるサイクルの緊張を保った複合として統一していく操作と重なりあわなければならない。転向という名の前転向、非転向という名の転向を現時点で論じる意味は、そこにある。

（一九六〇年一二月『現代の発見』第十二巻、春秋社刊）

近代の超克・私の解説

近代の超克という主題は、百貨店などによくある妙な鏡を思いださせる。同一の物体が或る鏡ではひょろ長い化物に見え、その横にいくとつぶれた蟹のように映る。近代の超克と聞いただけで、文化反動のシンボルであるかのようにアレルギー反応を起す人々がいるかと思うと、他方には維新このかた百年間の思想面における「アジア的停滞」をうちやぶる大斧のように主張する面々もある。なかには私のように気がはやって、近代の超克の、もひとつ超克ということを言いたい人間もいるわけだが、ともあれ一箇のテーマがほぼ一致した世界観をもつと想定される、たとえばコミュニストやクリスチャンの内部でも、ほとんど全否定か全肯定の二者択一といわんばかりの強引さで断絶面をさらけだすということは、それが世界観に対応し、それを支える第二原理としての重みをもっていることを意味する。もしこの問題をとことんまで議論していくなら、あるいはわれわれが堅固なものと信じている日本のすべての団体、株式会社や家庭までも真二つに割れるのではあるまいかとさえ思われるほどである。

その意味でこれは危険な主題である。本誌先月号でも鶴見俊輔はこの危険を感じてか、算術的・ユークリッド幾何学的平面と高等数学的・リーマン幾何学的平面を混同しないように区別分解することを極力主張しているし、竹内好も「君はインターナショナルの水を汲め、我はナショナルの薪を拾わん」といった任務分担説で切りぬけようとしている。なるほど、この座談会だけでも紛乱は相当なものである。たとえば——

竹内　ユークリッドはユークリッドの生まれる背景があるでしょう。背景が不変的なものであればいいわけです。そうじゃないのだという論もあるのです。

鶴見　背景としては、梅棹論にたよることになるけれど、日本では相当程度のデモクラシーがあったということになると、背景はあったわけです。

竹内　ないでしょう。

佐々木　ぼくらは、ないという前提のもとに、日本語をやっているわけです。

鶴見　あるでしょう。

おそらく竹内の発言の「不変的」というのは「普遍的」のあやまり、速記者の責であろう。そこらからやらなければならないとすると花田清輝の視聴覚文化ではどうなるのかといった疑問が早くもとびだしたりするが、冗談をぬきにして、竹内が日本には世界と結びつく普遍的背景がなかったと考えている、その普遍性なり背景なりとはいったい何か。鶴見は梅棹忠夫の範疇によって古代ギリシャと日本が結びつくというが、でなければデモクラシーはありえないのか。佐々木の「ないという前提」とは普遍的背景のことか、デモクラシーのことか――といった極めて端緒的な疑問が続々と生じてくる。したがって伊藤整のように、たぶん近化の超克などとは閉塞された知識人のヒステリーに終るおそれがあるからそれを警戒しろというのであろう、もっぱらそれはリーダーシップに関することがらで庶民とは無縁なのだと言いたがっている発言も出てくる。

しかし実のところ問題は逆なのではあるまいか。すくなくとも戦後の日本においては、近代の超克などといういかめしい名前は思いつかないにしても、それと同質の問題は職場や家庭の隅々でたえず提起され、適当な解決を見出しえないままに放置されている。いわば結婚話が一つ持ちあがる度毎に、それは果てしのない超克議論の種子を提供しているといってよい。たとえば労組婦人部なるものがいまだに納得のできる処理方法をみつけていないお茶汲みの問題といったやつは、十五年間も集まればまたぞろお茶汲み論といったぐあいではどうにもならぬと叱られたりしながら、なお今日なまなましい断面を持っている。そういう次元に、鶴見の機能分化の同時平行説を適用するとすれば、文金島田にハイヒールという風にならないか。竹内の任務分担説では、花ムコは紋つきで花ヨメはスラックスという風にならないか。それを案じている伊藤は、自分の茶の間で竹内と鶴見がやっているごとき押し問答を家族相手にやらないか――といったことを私はかなり切実に考える。

私は戯画化してそういうのではない。われわれが近代の超克というとき、いちじるしく情念的にならざるをえないのは、何も昭和十七年の悪名高い座談会のせいだけではあるまい。それはこの問題が本来、われわれの情念の急所にあたっており、そこをはげしく揺さぶるからだ。したがって、この問題は知識人の存在形態にまつわる独特の臭気によって、みずから領域を狭めないようにしなければならぬ。たとえばお茶汲みといった風俗に関しても、男女は同権であるから、男のしなくてよいことは女もしなくてよろしい。また雇用の契約時にはお茶汲みをしろということはなかったから、それはしない。お茶汲みにはそれに必要な人間を改めて雇うべしといった議論は実行の段階で一般には敗北してきた。なぜ敗北するのかという問題は、近代の超克論全体にからみあうはずである。その側から、近代の超克を進めることがもっとも大切だと私は信じている。

たとえばそこから自動お茶汲み機といったものの登場を期待する生産力論、個人の自覚を要求する主体性論、権利意識だけでは両性間の暗所にたどりつかないとする実存主義的認識論などがほぼ今日の思想状況に対応するだけのにぎやかさであらわれてきても、さらにふしぎではない。そしてお茶汲みの問題が一つ解決すれば――というのは、その問題の特殊領域が解消し、より普遍的な矛盾のなかに溶解するということだが――日本の民主主義はかなりたしかな根強さをもったといいうるであろう。だが皮肉なことに、このアジア的な、あるいは前近代的なといってもよいサービス方式が、真向うからふりおろす権利意識即近代化の鉄槌をもってしても、なかなかくたばりそうにないのはどういうわけだろうか。あきらかに前近代的なものを粉砕するのに近代的理念のコースが思ったほど役立たないのはなぜだろうか。

お茶汲みという小状況は維新以降の百年史という大状況にまで拡大しても、さほど強引な誇張をうみだすとは思えない。資本主義は小笠原流のような純粋封建制を生活の現場から追放し、かまどを電熱器に変えたかもしれないが、サーヴィス方式の質そのものは変化させることができなかった。大戦争による灰燼もそれを完全には焼きほろぼさなかった。それでは、われわれの当面する変革課題はいぜんとして民主主義革命なのかという疑問がたちまち生じる。もちろん、近代の超克という主題は深く戦略規定と関わっているであろう。前近代的な質を変化させるのに近代化コースが有効でないならば、そこに超近代としての社会主義革命のプランをもってこようとするのは無理からぬ衝動である。しかし、お茶汲みを前近代的な質とみなし、それを打倒するのだから当面する段階は民主主義だという主張も、はなはだ平明になっとくされる面がある。権力規定と社会経済制度を混同するのも単純に切離すのもともに困るわけだが、しかしお茶汲みといった小状況に照して今日の戦略論を見るとき、いずれの側にも議論の当否はともかく、帯に短くたすきに長く、説得が完結していないことを痛感する。

いったい、なぜこのようなもどかしさが起るのか。正体をはっきりさせるために言ってしまうけれども、私は日本の当面する革命が民主主義革命であろうと、社会主義革命であろうと、実体としてはさほど大きなちがいはあるまいとあえて考えている者だ。民主主義革命から始まるなら、それはたちまちのうちに社会主義革命へ転化しなければならないであろうし、はじめからそれを相当に準備しておかねば民主主義革命自体が起らないであろう。社会主義革命としても、それは広汎な民主主義的任務をふくんだものでなければならず、それなしには社会主義革命など起りっこないであろう。これはまことに凡庸な認識であるにちがいないが、戦略がちがえばすぐ具体的な闘争のスローガンが変らねばならず、スローガンが変れば闘争の内容が変るはずだというような、安直な認識コースこそ革命を誤まるものだと言っておこう。

今日、第一義的に要求されているのは、従来のすべての戦略的発想に欠けていたあるものなのである。それは何か。近代の超克論を基準にとれば、それと対置されるのは段階的な発展説である。鶴見のいわゆる、まず算術を、しかるのちに高等数学へ、である。もちろんこれは教育技術としては一も二もなく正しい。しかしこの教育技術はお茶汲みの問題を解決しえない。大衆の算術的認識の足し算でいわば体制の不条理の象徴となっている平凡であるがゆえに深刻な課題を解くことはもともと不可能である。なぜなら、ここではたとえば近代という記号、またはイメージが混乱しているのだから。

お茶汲みの問題もそこに帰着する。現在の方式を否定するところまでは算術教育である程度一致させうるであろう。裏がえせば、究極においてお茶汲みという行為の意味や比重そのものが消滅すべきだということまでは納得させられよう。しかし、それがいま廃止されて、そこにかわる当面のお茶汲み方式のどれが真であるかという点になると、まさにリーマン幾何学的様相を呈する。そのために安定した、公然たる悪が復活するのだ。それをすこし高等数学的に表現したのが「近代」であって、ある者は農家の土間に電気洗濯機が坐ることを近代といい、ある者はその土間に集団の陽気さがあふれることを近代という。近代という概念はこのようにわが国では、その生産力論的側面と空想社会主義的側面が分裂している。

日本に近代はあるのか。この単純な問はしたがってもっとも意地の悪い問でもある。近代が資本主義制度という意味なら、もちろんそれはある。しかしヨーロッパ的民主主義という意味なら、それは総体として、とくに社会の基部において存在しない。しからば、日本に存在するはずの日本の近代とはいかなるものか。それはいま存在するか、やがて存在するのか、それとも現在を半近代と見て、そこから一足飛びに超近代へ通じるのか。これらの一見複雑に感じられる疑問も、前に引用した座談会にも見られるようなデモクラシーの概念に関するくいちがいがとりのぞかれるならば、さまで解決困難なことではないように思われる。

竹内と佐々木は、日本にはデモクラシーか、あるいはその社会的背景かがなかったといい、鶴見は日本が西欧に近いという観点からデモクラシーとその背景があったという。両者に共通するのは、デモクラシーが古代ギリシャから西欧近代に通じる社会的背景またはそれと同種のものなしには存在しないという認識である。しかもそれが普遍性を代表するとすれば、歴史的に特殊であり論理的に普遍であるものはただ一箇しかないことになる。このような意味の普遍性がはたして存在するか。それは論理的に不能である。古代ギリシャと近代西欧のデモクラシーはもちろん異るが、それをつらねる脈絡として今日のデモクラシーという概念があり、それがなんらかの意味で普遍性をもつとすれば、それは他の世界にも妥当するがゆえに普遍的なのである。妥当するというのはどういうことか。他の世界の歴史的特殊性から、それ自身から普遍性に到達しうる別のコースをそれが指示しうるということではないか。とすれば、デモクラシーが普遍性をもつということは、古代アジアから現代アジアへ通じる歴史的に特殊なデモクラシー発展の道がある、デモクラシーへのコースは複数であるとみなすことによってのみ成立つ。

段階的戦略論は或る意味では断絶の論理である。それは前段階との質的な区分によって成立する。まさに革命は質的な区分の論理に支えられる。しかし単なる区分が弁証法における否定契機を媒介にした飛躍と異るのは自明である。自明であるという。だがわが国の二段階戦略論において、いわゆる民主主義革命の民主主義がいったいどこから由来するものか、その媒介となる契機は何かということについて正確に規定したものがあっただろうか。なるほどそれは権力と社会経済制度の構成についてふれたかもしれない。しかしその構成原理そのものの固有な発展過程は、抵抗の事実の羅列または思想家個人の伝記によってすりかえられているにすぎない。すなわち日本民主主義の前段階はいかなる内在的法則によって運動しきたったか、それは日本の全歴史をつらぬいてどのように現代に接続するかというもう一つの自明の課題が、二段階戦略論にひそむ段階的思考によって断ちきられているのである。

これはわが国の変革理論の全体系からみて、重大かつ決定的な欠落である。「的は中国、矢はマルクス・レーニン主義」と毛沢東がいったとき、それは中国に近代民主主義を成立せしめるに足る前提、竹内好のいわゆる背景が存在するという確信を表明したにひとしい。それは単に現在点で輪切りにされた条件の成熟ではなく、歴史的な成熟であったはずである。そして、きわめて体験的にではあるがみごとにその民主的伝統を駆使しえたのが中国共産党であったとしても、しかもなお中国ですら今日までその民主的社会構成原理の特殊中国的な発展過程を充分に定式化しえているとは言いがたい。それはマルキシズムの非ヨーロッパ世界への適用が理論化されるにあたっての一つの難関を示している。その難関を計算に入れ、佐野学一派との闘争といった経緯を考慮しても、なおかつわが国の進歩陣営がこの問題領域についてすこぶる小心であり、生産的でなかったことは疑えないと思う。

自己否定をくりかえしながら発展する日本民主主義に連続性をあたえる契機は何か。その構成原理的裏づけは何か。この点をぬきにした区分断絶の論理、あるいは素朴な統一の論理が試行錯誤を反覆するだけに終るのはあまりにも当然である。にもかかわらず、わが国ではこの問題がいつも右寄りに提起されてきたし、したがってこれに反撥する部分はこの問題にすこぶる情念的な反応を示しながら、その論理化を切り捨ててきた。二段階戦略論の段階的思考はそれに見合うものである。それはなるほど未来へ開けているように一見感じられるけれども、過去とは単純否定の形でしか接続していないという意味で、半未来でしかない。それは本来一元論であるはずのマルキシズムの戦略論のなかに技術的部分としてふくまれる段階論を、ほとんど理論の根幹部にまで拡大変質せしめた結果、二つの偏向をうみだしている。それはすべての段階的思考がおちいりやすいわなであるが、まず発展に対する直線的観念すなわち硬化した単系思考であり、つぎにその発展の契機を外在的に求めざるをえなくなるという矛盾である。前者は素朴一元論であり、後者は明白な二元論である。両者は同一のテーマに対する同一の態度から生まれたものであるから、顕在的には異った顔をしているが、しばしば秘密の地下道を通ってかよいあう。現在マルキシズムとプラグマティズムの間をうろうろしている人々は、この地下道の存在を意識しないことによって復讐されているのだ。

素朴一元論の単系思考と二元論の主体喪失との間に非公然のチャンネルを設け、それをもってある種の均衡とみなし、そこを彷徨しつづけるあいまいさにおいては転向者も非転向者もあまり選ぶところはなかったように思われる。だから転向になんらかの精神的生産性があると私はいささかも思わないが、もし非転向と素朴一元論が同居しているのであれば、それはすくなくとも精神的には無意味だと思わざるをえない。だがこのような双生児はマルキシズムの渡来によってはじめてもたらされたものではなく、維新このかた文明開化論、富国強兵論、はたまた自由民権論などの内部にも深く巣くっていた。それらはほとんどすべてが進歩という観念を直線的に把握し、過去と断絶した段階論であり、外在的権威を導入しなければ進歩の契機を内部に見いだしえず、したがってそのシンボルをいつでも取りかえることができる、つまり転向がはじめから準備されているにひとしい二元論であった。マルキシズムの戦略論をゆがめて受けとる素地は充分であった。日本における転向とは、そのような素地をあらためて暴露することでしかなかったのではないか。

ただし転向の無意味さと、無意味さのなかにある意味を追求することとはおのずから別である。戦略論に対するゆがみのよって来るところを検討すれば、そこから新しい態度を発見することができよう。私が着目するのは――統一のシンボルが外在しており、それが自己の内在的な発展過程ときびしく接続していないために、容易に首のすげかえができるという思考形態、さらに他方では進歩の観念を生産力に偏よった技術主義で受けとることによってかえって無時間的な連続すなわち歴史的な非連続へみちびいてしまう単調さであり、それは歴史社会の固有日本的な構造といかに対応するかという問題である。

もとよりこの点にふれる問題提起は、主としてコミュニストの外側からしばしばなされてきた。なぜコミュニストの外側から多かったのかといえば、この視点が進歩対反動という単軸では整理できず、それと直角に交叉するもう一つの軸を加えねばならず、そうすることによって素朴一元論から二元論へ容易に移動する危険を、本人自身が感じるからだとみるよりほかはない。その恐怖がますます素朴一元論を硬化させ、その必然の反動としての転向を促進しているという側面を今日強く指摘すべきである。

同時にコミュニストの外側からの問題提起も、整理のための新しい軸というにはあまりにもお粗末である。段階論に対する過大なもたれかかりはかならず啓蒙主義、技術主義、近代主義へみちびかれる一面と、きわめて情念的な純粋主義、倫理主義へみちびかれる一面をもつ。それを整理するにあたっての論者の提出する軸はきまって欧化と国粋、開国と攘夷といった現象的なものである。そして開国と攘夷が同一の勢力、同一の人格内部で、あるときは一方が顕在化し、あるときは他方が優越して秋の木の葉のようにちりちりと舞う事態を説明しなければならなくなると、出てくるのはいつも指導的インテリゲンチャの階層的中間性である。現象論としてみれば、それは誤っていないであろう。しかし、欧化と国粋といったような問題軸はいわば文化社会学的概念であって、物質的基礎をもった歴史法則的概念ではない。欧化といっても、それはヨーロッパ指向性をもつ日本ということであり、その日本がどのような日本であるかを言わなければ、いつまで経っても問題はヨーロッパ対日本であり、日本のA対日本のBにはならない。

この点で竹内好の太平洋戦争の解釈は、戦争対平和イコール反動対進歩イコール支配階級対民衆といった単軸思考に反撥して、戦争を帝国主義間の戦争と植民地侵略戦とに区分し、それによって支配階級の戦争政策そのものの分裂を説き、同時に民衆の中にもこれに対応する分裂があったことを示唆して、国民全体をタテ割りにするナショナルな軸を発見しようとしている。それは欧化対国粋といった問題軸をインテリの枠から全国民の規模にまで拡げたものである。だが、それは一応日本のA対日本のBになったとしても、第一に戦争の性格に局限されたものであって巨視的な構造論ではないし、第二に支配階級の分裂と被支配階級のそれを現象的な対応によって同質化してしまう危険がある。とくに後者についていえば、なるほど国民は帝国主義国と植民地に対しては異った態度をもっていたし、それは支配階級と民衆がとりかわすサインの上でもしばしば一致したかもしれない。しかし大東亜共栄圏というようなスローガンのユートピア性と植民地侵略の積極性とを同時に強くもっていたのは明らかに民衆の側であり、したがってその倒錯的矛盾をはげしく受けとめざるをえなかったのも民衆であった。はたして支配階級の倒錯はそれほど強かったか。私はとても彼等が真正面から逆立ちする勇気をもっていたなどとは思えない。彼等は破局が深まるにしたがって盲目的になっただけである。だが民衆は倒錯のうちに回転しつつあった。もうすこしその回転が進行し、速度を増したなら、それは抵抗をうみだしたはずである。

竹内説もまた戦争中の民衆の倒錯と自分の倒錯を重ねあわせ、二重の倒錯によって思想の正常位を回復しようとする努力であろう。とすれば、それはさらに前方へ向って倒錯を進行させる必要があるのだ。それによって現在から過去へフィード・バックするよりほかはない。太平洋戦争の二重性格はいわゆる日本資本主義の二重構造の危機的な集中の反映であった。いかに戦争が総力戦の様相を帯びて一体化していたように見えようとも、凝縮された二重構造であるかぎり、それは内的な解体分裂の危機をそれだけますますはらんでいる。総力戦と二重戦争とはそもそも互いに矛盾する契機である。竹内は太平洋戦争にふくまれるナショナル・エネルギーを総力戦プラス二重戦争という形でとらえようとしているかにみえるが、私は明白に総力戦的側面を拒否しないかぎり、インターナショナルなものへ通じる基底は現れないと思う。太平洋戦争は総力戦プラス二重戦争ではなかった。総力戦と二重戦争の両側面の対立葛藤であったのだ。そしてその底には、二重戦争に対する同一人格の二つの顔がひそんでいた。薄められ拡散した国家意識からではなく、この亀裂の複雑さと深さのなかから、戦争中劣性としてひそんでいた土着的エネルギーを析出すべきである。

そのためにどのような操作が必要であるかという問題は、日本社会の二重構造をとらえる軸のとり方に帰着しよう。すなわち現代における二重構造のゆがみを過去への遡及と照しあわせながら、一度あるべき座標まで復位してみることが必要である。でなければ竹内好がおちいっているように、ひとまず問題のカギである対立の契機をとらえるかにみえて、その国家意志による止揚の努力をナショナル・エネルギーの統一方向と見誤らないとは限らない。そこで二つの問題がある。一つは現代の二重構造を経済学者がやっているように狭い意味での物質的な把握にとどまらず、社会経済制度から意識の面にわたるより広い範疇としてとらえ、それによって問題を日本現代文明の性格規定という地点にすえること。二つにはそれを前近代の物質的基盤と照応させつつ、上下関係として存在する二重性を同一平面の二重性、すなわち社会の機能的分裂および大衆それ自身の内部にふくまれる拮抗・可逆関係として九十度回転した把握に到達することである。

第一の問題からはじめていこう。欧化と国粋といったテーマの設定はたしかに、独占資本対下請企業といった形で行われる狭い経済学的二重構造論をむしろ文明の様式について考える場所へつれだす役割をはたしている。だが前にも述べたように、それが日本それ自身に内在する対立契機としてとらえられるためには、そのような比較よりも上級対下級の構造的な断層を重視せざるをえない。たとえば翻訳型文学と伝統型文学という対比は、いわゆる純文学対大衆文学という対比にある程度平行しても同一ではありえないし、作品固有の質から離れたこのような区分の固定化が存在することは、やはりその国の文学一般の性格を示唆する、より本質的な事実とみなすべきであろう。低級な舶来品という観念がなくて、舶来品は大方高級であるという通念が強度に固定している場合、視点は舶来品かどうかに移る前に、まず価値基準の二元化に注がれなければならない。言葉を変えれば、欧化によって文明の二元化がはじまったか、それとも二元的文明が存在したからこそこのような形の欧化がはじまったかということだが、歴史の判断ははっきりと後者の立場である。つまり欧化対国粋といった文明論は、もともと存在した自己の文明の内的分裂を蔽いかくす葉っぱとして用いられる気味がある。私の見解はしかし、黒船がやってこないままで日本の封建社会が成熟のはてに資本制社会をうみだしたとしたら、それもまた二重構造の文明となったかどうかという経済史につらなる課題を提起する。だが今はその点にはふれない。いずれにせよ、二重構造は封建制あるいはそれ以前から歴然と先行していた日本文明の様式的特徴である。

なぜ様式上の特徴というのか。一つの文明の様式は何によってもっとも深く規定されるか。それは資本制に先行する長い経過のうちにみられる土地と人間の結びつき方、共同体の生産様式によってである。土地と人間の物質的な関係が生産関係に投射されるとき、それは一方に文明のスタイルを、他方に人間生活の集団原理をつくりだす。したがってその社会の文明の様式と集団原理とは相関する。一般論としては自明のことであるが、このように生産と結びついた集団原理は世界のいかなる地点においても、それに相応した型をもつ民主主義と反民主主義への指向を同時にうみださずにはおかない。なんぞひとり古代ギリシャのみならんやである。ただそこにはスタイルの差があり、生産性の異った現象化がある。その異った、いくつかの型の綜合という過程を通してはじめて普遍性というものが顔をだす。

単系的な戦略論のおちいる欠陥は、このような固有のスタイルが自己を貫徹しつつ異ったスタイルを綜合してゆくという文明の様式に関する配慮と、その土地固有の民主主義的集団原理の発展過程とをなおざりにして、歴史的非連続すなわち進歩といった錯覚を演じてしまうことである。またこの欠陥の原因を究明せず、単に現象面だけで欠陥を除去しようとする者はかならず段階的二元論にはまりこむ。ここにわが国における思想的不毛の源があると私は考える。近代の超克がいま唱えられなければならない必然性もそこにある。換言すれば、それは自己の文明に対する深刻な一元論的要求のあらわれにほかならぬ。花田清輝が「近代の超克」を芸術論として展開するにあたって否定的媒介としての前近代的契機をもちだすのは、文明の様式に関する配慮があるかぎり当然すぎる話である。ただ彼は問題を芸術論に限定し、集団原理そのものにふれていないため、社会経済的な土台の指摘が明確でなく、いささか問題提起が唐突に見え、しかも彼自身その唐突さを利用しすぎている感がある。近代の超克を二重構造の逆用による二重構造の止揚と定義すれば、それはなによりもまず二重構造の歴史的根元である日本型の共同体についての解明を手がける必要がある。

アジアはアジア型の民主主義を通るよりほかに普遍性へ到達する道はない。もしこのことを省略しようとすれば、われわれは集団原理の連続性と様式を失う。そして日本は上級共同体と下級共同体への二重所属、密集した農業生産方式などの特徴から見るとき、あきらかにアジア社会の一部であるが、巨大な河川の単一水系に発展した社会、その複合がもたらした大陸文明とはかなりの相違点を持っている。簡単にいえば、上級共同体と下級共同体の距離が大陸文明ほど隔絶しておらず、その連合のしかたは複雑で、統一的シンボルの権威はつねに不安定である。しかもその不安定さのゆえに均衡への意志が支配しており、二元論への傾斜が強い。それはよくいわれるように一神教がないから多元的であるのではなくて、多元的土台のうえに神々がいるのである。

だから欧化と国粋という問題軸を単純に革新対保守という問題軸にすりかえてしまった幕末維新の動揺を再びくりかえさないためには、それを一度前近代社会の上級共同体的部分と下級共同体的部分の対立拮抗という軸にまで遡行し、さらにこの上下の二重構造が実は基底となる下級共同体それ自身の機能分裂によってもたらされたものであることを発見し、しかるのちにこのような疎外の重複の帰結として生まれた日本資本主義とプロレタリアート、とくにその下層部分の内部に投射されている断層亀裂に正常な座標をあたえなければならない。なぜなら、その地点にある矛盾にこそ一切の生産性が集中しているのだから。近代の超克という作業はそこからはじまるのである。

共同体の分析とそれの現代への適用は、今日すでに共同体がどの程度崩壊しているかいないかという問題ではまったくない。それはその国の資本制自体をもなお包括している制度、文明、意識のスタイルの問題である。農業機械がすこしはいりこむと、たちまち農民意識は変ったなどといういいだ・もも、「その道はいつかきた道」と童謡でも歌ってファシスト呼ばわりのお好きな吉本隆明、その他もろもろのレッテルはりに憂身をやつしている御仁たちに投げかえすべきことは色々あるが、いまは紙数もつきた。普遍的文明などもちろんまだ世界のどこにもありはしない。かろうじて「形式において民族的な、内容において社会主義的な」文化が生まれようとしている。それがすでにあるとか、現在はまだそうでないとかいった議論も私には格別の興味はない。私自身にとってはすべてこれからである。私はお茶汲みの問題に熱中している。花田や竹内とは独自に、私もまた近代の超克主義者と称しても悪くはないが、この言葉にはそれ自体に従来の二重構造的観念の逆用がふくまれている。逆用といっても、上からの統制管理を下からつきあげるという意味では順用であるけれども、逆説に弱い点では日本のインテリはまだ昭和一七年からさほど進歩しているとも思えないので、スローガンには不向きかもしれない。あえて自己流の解説を買って出たゆえんである。

（一九六〇年六月号「新日本文学」）

Ⅲ

政治的前衛とサークル

一

政治的前衛というものが誕生するやいなや、投げつけ投げかえす悪罵の雪合戦がはじまるのはいたしかたもないことだ。行動で抹殺するよりも言葉でたたき伏せる方がはるかに平和的であるとはいえ、問題はそこからどのような生産性をひきだすかにある。

つまり、どのように口汚い論戦も対立を思想の内部にとどめるかぎり、それは必然に対話をよびおこす。独自の範疇の意味内容の交換がはじまれば、相手の範疇に沿って自己を表現しなければならなくなる。それに成功しなかった側は敗北するほかないので、勝敗がきまった瞬間に、勝者は敗者の衣をまとって勝名乗りをあげ、むしろ敗者の方が生地のままでのこされる。裏を返せば、あまりに過度なオリジナリティの主張は思想闘争の局面でみるとき、負け犬の姿勢に近づく。

けれども他方ではつぎのようなことが存在する。思想の勝利は対立者の記号を組み変えて自己の記号に従属させる過程としてあらわれてくるのだが、この組み変え作業が進めば進むほど勝利者はますます敗北者に似てくる。いや、敗北者よりも一層深く敗北者の立場を理解することによって、勝利者の思想が勝利するのだ。したがって思想の勝利はオリジナリティの放棄に近づく。いわば対話は両者をともに勝たせ、ともに負けさせる機能をもっている。そこで思想がこの奇妙なシーソー・ゲームから脱けだそうとすれば、思想が存在の方へむかって動くか、あるいは自分の記号と相手の記号とを往復する回転運動を速めて新しい次元に上昇するよりほかはない。

政治的前衛は論争に現実的かつ一時的な決着をあたえる必要上、どうしても思想の柵外にある存在に根拠を求める傾向がある。だがそのとき思想的・文化的前衛はなお思想の内部でエネルギーの質の転換をはからざるをえない。ここに政治的前衛と文化的前衛の背反がうまれる原因がある。そして政治的前衛は修正主義打倒をさけび、文化的前衛は宗派主義の克服をとなえる。いわば政治的前衛はより多く思想を回転させる軸の選び方に集中し、文化的前衛は思想の回転速度とその持続に関心をよせる傾きがある。

政治的前衛と文化的前衛の分裂あるいは背離——これは当該社会にまだ真の前衛が存在していないことを意味する。そしてこの矛盾はまだ実質的に前衛でないものがたてまえとしての前衛性をつらぬき通すことによっては解決されない。むしろ自己の前衛性が一種の仮設にすぎないことをいかなる大衆よりもするどい大衆の眼でみつめていなければならない。ここに今日の前衛性が賭けられている。

事実、わが国においても政治的前衛の誕生いらい、エリートの牧場のなかではついに修正主義と行動的宗派主義の止揚をもたらすことはできなかった。それはつねに相手方との断絶、そして同じ対立のあいもかわらぬ再生産となってあらわれてきた。この衝突が実は同一人格の内部に背中あわせに住んでいる二種類の偏向でしかないということも、身につまされて明らかになることは少なかった。

しかし事態は変化しつつあるように思われる。かつて前衛とその周辺にとってのみ痛切であった未解決の課題はそのままの対比で広い大衆生活のなかに浸透し、行動規範と生活意識のくいちがいが苦痛に感じられるようになり、その地点から大衆自身が前衛の位置を問題にしはじめたからである。いわば前衛と大衆はいまや問題把握の深さにおいて競争関係に立っている。

二

それはアキレスと亀の競走に似ていないこともない。むろんアキレスは前衛であり、大衆は亀である。何万分の一ミリメートルか知らないが、亀が前衛の前方を走りつづけていることは疑えない気がする。なぜかなら大衆の方が前衛よりも自分のなかの分裂した諸契機を統一しようとする全体的欲求をあらわにしているからである。

前衛が部分的欲求しかもたず、大衆がゆるやかな全体的欲求をもっているという倒錯劇は単にコミックと笑ってすませるわけにはいかない。その落差がはげしくなって大衆が欲求不満におちいれば当然にファシズムが生まれるよりほかない。エリートの対立としてはさまで案じるほどのものでなくても、大衆のエネルギーの場がどのように変化しつつあるかには大きな関心が払われなければならない。

大衆の欲求不満はひろがっている。だが現在のところかろうじて前衛と大衆の関係を断線させずにすんでいるのは、比較的に多数の下部活動家が存在し、かれらが政治的ならびに文化的役割を兼ねているからである。

けれども事態はいくぶん急速に流動しはじめている。これらの下部活動家のうち、これまで多分に偏向のパターンに無関心であった者たちが相互に修正主義と宗派主義の批判を投げかわしはじめた。対立の根深さが一歩前進したのである。

その対立はまだゆきつくところまでいってないといえるかもしれない。だが一方、前衛と大衆の断線の危機も深まっていることを知らなければならない。たてまえとしてのみつながっていた回路は切れようとしている。それを維持することはもはや不可能であろう。実質的な回路にとりかえるにはまだ時間を要する。今日その危機を感じない者は大衆運動に対する不感症でしかない。

この対立を切る軸は各人各様の基準を示していて一定していない。それは機械的唯物論と観念弁証法、生産力理論と空想的社会主義、科学的認識と実感的認識、素朴リアリズムと社会主義的アバンギャルド……などの対応関係をきわめてぶざまな口ごもり方で表現しているにすぎない。

けれどもそこには、いささか悪ふざけの比喩ではあるが、精神の「労農派」と「講座派」とでもいうべき区別がみられるのである。そして労働運動の次元ではこの矛盾は数年前から「労働組合とサークルの関係いかん?」という疑問としてくりかえし提起されている。

したがってそれは政党と労組とサークルのそれぞれの機能の差と接続関係を論じるだけでは解決にならない。これら各種の組織を通じてタテにつらぬかれている気分、感覚、論理のくいちがいが問題なのである。大げさにいえば、わが国の進歩勢力には既成の組織的区分のいかんにかかわらず、それとは別に二種類の思想的エコールが感じられる。

いうまでもなく、それはまだ画然と固定してはいない。ある部分からXとみなされる人間が他の部分からはYと批判されることもあれば、Xであった人間が持ち場を変っただけでたちまちYになることもあるし、さらに同一の人間がそのときどきのふとしたきっかけでXになったり、Yになったりすることもある。けれども、もし思想の生成過程を高速度写真風にとらえることができるとすれば、これらの雑然たる反応のなかに大衆が近代思想を胚胎してゆく道筋がほの見えるであろうし、そのなかに動脈と静脈のように異ったヴェクトルをもつ意識のからみあいが発見されるはずである。

危険なのは第一にこのヴェクトルの片方を進歩、他方を反動と即断してしまうことである。だがこのヴェクトルは存在、下意識、意識、個人、集団などの各停留所をつらねてゆく回路の作り方によってさまざまな逆符号をうみだしているにすぎない。きわめて大づかみな言い方をすれば、

X系として束ねられる方向は存在から意識へのはたらきかけを基底にしており、Y系はその逆であるとみなすことができよう。

危険の第二はいかなる人間もその気質や経験によって二つのうちのどちらかの系へ傾斜せざるをえないという事実を忘れがちなことである。この前提を無視すれば、誤謬をふくんだ正しさは一切否定され、どこかに絶対の正義を設定しなければならなくなる。

危険の第三はXとYは本質において可逆的であるにもかかわらず傾向としてXからYへの移行はYからXへの移行よりも困難なことである。したがってXはしばしばYを切り捨てることによって原則性の保持とみなす。そこに思想硬着の最大の原因がある。

現代社会におけるサークルの役割は、意識するとしないにかかわらず、このような政治的前衛の欠落しやすい思想的機能を代位補充することにはじまる。それは前衛の思想と異る思想の記号を組み変え、前衛の思想に編入し、それによって前衛の思想を創造的に発展させる可能性をもつ。なぜなら政治的前衛が同時に文化的前衛であることにいまだ成功せず、精神の前衛性について前衛と大衆が競争しているという現状では、このような機能の分裂は必至だからである。

もっとも、現存するサークルがこの機能、すなわち前衛を作りだすための炉の機能を充分に果しているとはいいがたい。けれども事実はその可能性を強く示唆しており、それを否定することは前衛の思想硬着をあらわす兆候でしかない。

おそらくサークルの当面しているイデオロギー的課題は、マルクス以後においてフロイトの提示した下意識と性の連関を生産労働との連関においてとらえ直すこと、サルトルが提示した組織内における個人の実存を意識の存在に対するはたらきかけの過程に位置づけること、さらに日本の共同体の最下辺におかれてきた集団の実存を前衛と大衆の関係位置のなかに編入することなどである。これらはすべて前衛意識というものの内容を画定する上に欠くことのできない思想工事であって、政治的前衛の当面する政策の土台を形成するものであるが、その政策から導かれる規定性と一応分離して、広汎な討論をおこすことが必要である。むしろ前衛は進んでそのなかに身を投じる果敢さにおいて、すべての大衆をぬきんでなければならない。

三

ではサークルは、政治的前衛が同時に文化的前衛でもあるという前衛としての全面性を獲得したあかつきにはその役割を終えて死滅する過渡的存在であろうか。それはある面において正しく、他の面において誤りであろう。

現在の瞬間における大衆のなかの前衛意識、その分裂を政治的にとらえるならば、階級的原則の純粋性を一義的に主張するか、それとも階級的連帯にもとづく統一戦線の課題を優先せしめるか、そのいずれを当面の環とみなすかにかかってくる。しばしばそれは同じ問題の表裏として説かれるけれども、事実は階級的自我の内容がすなわち階級的連帯性であらねばならぬという原則に背き去っていることが多い。この原因は日本の大衆が階級的団結に不馴れであるというだけではない。これまでの前衛が階級性というものを対立の契機であることを説くのに急であって、それが同時に対立止揚の契機でもあることを充分に説得しえなかったことに大きな原因がある。

目下のサークルの発生条件はこの状況を基礎にしている。つまり前衛が同志的連帯感の創成に失敗しかけたとき、対立止揚の契機を前面に押しだして、サークルがその失われた側面を補修したのであった。けれどもこの事実にはさらに大きな意義がふくまれていると考えられる。

従来、階級連帯に関する前衛の説得はおおよそ利害の一致という点に集中されていた。そして個人の小利を棄てて集団の大利につくことが義とされた。だが個人の利益を出発点にするかぎり、それは一種の機能集団にすぎず、利益と正義の接続法にはなんとしても無理がつきまとう。そして悲痛な正義の底にあるモラリズムには案外古風な色が漂っているのを戦後の大衆は手もなく看破してしまった。そこで大衆が選んだのは利益でもなければ正義でもなく、連帯の快楽であった。

それは体制から疎外された大衆の財産であり、大衆はその感覚の伝統を下級共同体の底辺に維持しつづけてきたのである。したがってここにはじめて日本の大衆は階級的連帯意識をわがものとする自然な発条をみいだした。このことの意義はどれほど高く評価しても評価しすぎることはない。日本の思想はようやくにして主体性という言葉にすらつきまとってきたバタ臭さをさほど気にしなくてすむ通路を切りひらいたのである。

だが同時に危険も迫ってきた。対立止揚の契機が対立の契機と固く結びつけられていないかぎり、政治と文化の二元論はとどまるところを知らず拡大され、機能の分化が責任の分散、放散となってあらわれるのは必然である。他方、無前提な対立止揚の契機にもとづく集団作りはたとえば新興宗教に見るように巨大な反動サークルの結成へみちびかれることも起りうる。

しかし政治的前衛がサークルとの結合に成功すれば、サークルは文化統一戦線の主力を占め、政治統一戦線の土台となり、またその一翼をになうであろう。そのときには現在のサークルと政治的前衛との間にいくつかの思想的・行動的中間項が発生することが考えられるし、またサークル自身も今日よりはるかに強い目的意識をもつ集団へ変貌するだろう。だがそのためにはまず政治的前衛がサークルへの対話の姿勢をもち、現在の理論的、実感的潮流の二種類を活発にかみあわせ、相互の問題意識を組み変える回転速度をはやめ、それに沿って確乎とした運動軸を発見しなければならない。

もとより現在のサークルはすべての面において偽似的存在である。しかしながらそれはあくまで政治的前衛や労働組合、農民組合とならんで試験管の中のコンミューンたる資格を失わない。未来は一個のマンモス・サークルである。その幻はすでに草深い夜の会話をじりじりと圧えつけている。

（一九五九年一〇月号「文学」）

組織と病識

国民文化、まだその言葉に対して国民自身はなんの匂いも感じないだろう。その虚しさの上にこの会議は立っている。それは今度、君が代が国歌でないことを確認したり、文化放送や立川基地における文化への弾圧に抗議したり、勤評の本質をえぐろうと決意したりした。いわば鉄砲で撃たれた狐が自分の傷あとを見ることで「狐は庄屋に勝つ」という法則を探り、ついには鉄砲にも負けない狐になろうという心意気である。

九月の下旬にふさわしく、そこにはうっすらとある種の緊張が流れていた。それは会議の内部に原因があるのではなかった。現在の日本の津々浦々で、農夫が、商人が、事務員が見せているしかめっ面、深まりゆく一本のタテじわのごときものがここでも走っていた。いきどおろしい相手の顔は見えている。「今年はかすかにヒリリとしてきたな」と私が言ったら、鶴見俊輔も日高六郎も別々に「勤評があったからねえ」と答えた。

けれども、自分の顔、国民の顔は見えていただろうか。いちはやく地方で呼応した関西国民文化会議の代表は一人も出席しなかった。私たちが去年から努力してきた熊本の県民文化会議の準備委員も姿をあらわさなかった。事務局から報告されている山形県青年婦人会議、京都勤労者文化会議、岡山県文化会議、北海道文化団体協議会の活動報告も聞けなかった。福井、秋田、群馬、大分などからはいささか渋く練れた全県的組織者の声がひびいてきた。それでも南博事務局長は「去年とはずいぶんちがうよ」とはずんでいた。

組織することがなんだ。量をもって文化を計ることがなんだという懐疑と、力をつくりだしえない創造がなんの役に立つという不信のからみあいがいま流行の低音調でのろのろと進み、ふいにひとところ重くよどんだり高くかん走ったりする第二楽章のような趣きで会議は終った。したがってその主題は、創造方法と集団との内的な関連をどう把握すべきかに集中さるべきだった。

たとえば、会議は専門家の規定に苦しんでいた。野間宏が提出した「専門家集団とサークル運動の結合」という命題は、専門家というすでに腐蝕されたイメージのためにそもそも不人気であり、自己否定の契機にきわめて弱いところがあり、彼自身がこの二つの部分を総合して生まれてくるものを「新しい専門家」といったあいまいな概念しか用いない結果、どこまでも一種の上下運動からさきに進まないそしりをまぬかれなかった。

この点を攻撃した久保田正文も「労働者文学という特別なジャンルはない」というにとどまって、この二元的な視角が実は創造者の存在様式と創造の方法とをはなはだ軽々と混同していることとを明確についてはいない。かえって彼は、ジャンルの否定によって労働者作家のなかにある甘さをたたきながら、「君たちもおれたちも同じものだ」と宣言する。だが、どのような作家もどのような労働者も激烈な自己否定の過程を経ないで一致することはありえない。彼がなさなければならないのはまさにその自己否定の過程を彼の肉体を通した一箇の実験データとしてなげだすことなのだ。そっちは小説に書き、評論では静止的な観察をのべるという態度がもしあるとすれば、それこそ彼が組織者としての文学をそこで放棄したことにほかならない。

簡単にいって、労働者自身が「これはおれたちの文学だ」と言っていないとき、相手のワクを外させることで自分の文学を労働者の文学として認めさせようというのはコッケイではないか。小田切秀雄は「湯とともに赤ん坊まで流すな」と心配したらしいが、問題は労働者階級がそれを自分の子供だと認知することをしぶっている点にあるのだ。産婆術の問題ではない。久保田、小田切の両者に共通しているのは、自分の方から変ろうとはしていないという一事である。専門家の概念にしがみつくかぎり、野間もまた自分の発想を自分で裏ぎるよりほかないであろう。

さて、もうひとりの報告者、佐々木基一はこのような組織的側面を完全に放棄することで『革命と芸術』の著者にふさわしい落着きを示した。彼は生活内容の多様さ、伝達手段の異常な発達、表現形式の新しい発展などがリアリズムの幅をひろげるというのである。そしてこの結果生まれた「文学における大量の大衆参加」が文学者という人種を絶滅し、新しい意味の文学が残るのだそうである。なんという輝かしい楽天性であろう。彼にとっては、鉛筆や紙を思案しつつ買う創造者、単調きわまる労働に削られている感情、顕在化することのできない沈黙におさえつけられている言葉というようなものは単に「注目すべき事実」であるにすぎない。それは永遠に彼自身の骨の一部になる気づかいはない。

集団よ。組織よ。階級よ。おまえはどこまでいっても「明るく豊かで健康な」イメージでしばられるのか。そういえば国民文化会議の基本スローガンもこれとそっくりのラジオ体操の標語めいたものであった。いま労働者の意識的部分が求めているのは、このような前提に立った思考とはなんの縁もないものである。それをしごくあっさりと人間回復への要求などと片づけられるので、あくびがとまらないのだ。もちろん、労働者の要求は全一的なものである。部分でなく、全体だ。一箇の自我ではなく、無数の自我だ。だが今の労働者はたとえば蟬が全身をふるわして歌うようには、それを要求していない。そして、それが当面している情勢のなかで集中している現在の問題点だ。だから右のような多くの人達の分析は労働者にとってまるきり無駄であるとはいわない。労働者は自分のために、それを解体し、再編成して使うこともできよう。けれども、それらは労働者をまっすぐになぐりつける道具とはなりえない。自分こそ労働者のなかの労働者と臆面もなく言いはる構えをもたない論理はどこまでも有効性の極小値へ逃げてゆくことができる。何がいちばん、いま必要なのか。その最大値を争うことなしに行われる論争は場末の見世物でしかない。

集団という言葉よりも、意識された集団、自己変革をめざした集団という風に規定しなければなるまいが、集団こそ現代の状況のなかでもっとも深く病んでいるものであり、そのゆえに回癒の希望をかすかに保証するものである。組織といってもよい。組織と個人などという対比のうちに、組織の病をみつけだし、鬼の首でもとったような気になっている凡百の「組織悪」論者を打ちのめす出発点はここにしかないのだ。個人とは、浅く病み、浅く破れ、浅く欠けることしかできないという意味でもはや絶望的な存在である。現代とは組織人の時代なのだ。組織人の非組織性と非組織人の組織性との闘争の時代なのだ。すなわち、組織の病、破綻、欠如を佐々木基一のように「古典的様式の完成期」の眼でみることなく、断層そのものの発展、深淵そのものの成長という基準で測るべきなのだ。

高めることとひろげること——国鉄詩人会のように十年も同じ念仏をくりかえしているがいい。そのうちに高さはゼロに近づき、低さは点に迫るであろう。念仏を唱えているその人の高さは海抜何米で、その人の広さは何坪であろうか。今日の集団がこんなにも浅くしか病んでいないのは、たぶんそれぞれの個人があまりにも健康であるからだ。病識がないという意味で、あの血色のよい精神病者に似ているからだ。

会議の三日間、私はせめて精神病者をノイローゼ患者にしたいと思って馬鹿さわぎをした。なぜなら、私は精神病よりかノイローゼの方がいささか深い病であると考えているからだ。

（一九五八年一〇月一日号「東京大学新聞」）

軸と回転

国民文化全国集会は安保条約改定に反対するアピールを一人の反対者もなくすらすらと可決した。分科会の討論中にも、これを邪道とする意見はさらになかった。去年の集会では勤評反対を露骨にとりあげられては困るという意見が一部にあり、いささかふくみのある表現がアピールに採用されたのだったが、今年はまことに四海波静かであった。

だが果してこれは御同慶の至りなのであろうか、政治の課題を文化の次元で受けとめ、投げかえす姿勢がもはや確立されたと見るべきだろうか。

最終日の全体討論で、京大の一学生が立った。彼は「学習しても利益になるなどと考えてはならない。むしろ利益にならないからこそ学習しなければならない」という意見をのべた。それはあまりにも当然すぎて、ひょっとするとアカデミックにすらなりかねない程度の主張であった。けれども聴衆はいらだち、怒り、野次をとばした。それに反論する発言者がしばし続いた。「われわれはこんなに苦しい状況下でその苦しさの意味を知ろうとしている。おまえは学生だから、そんなノンキなことをいう……」圧倒的な拍手である。

そのとき、なぜ立ちあがってたたきのめさなかったのか、自分ながらちょっとおかしいという話を後になって武井昭夫とした。あまりの馬鹿馬鹿しさに両人とも腰がぬけたのだという結論だったが、どだい国民文化全国集会などと大げさな名前をもった集会に、それくらいの陽気な愚かさをもたずに出席するのがどうかしているのであって、お互いにバツの悪い顔を見あわせるよりほかなかった。

しかも会議終了後学習活動のリーダーである一人がこの野次と拍手の対照を、自分の公式的な主張に対する支持として受けとり、きわめつきの証明書みたいにふりまわす場面にさえ出あった。もちろん私は満場をゆるがす拍手のなかになんらの前進的意味もふくまれていないというつもりはない。そこには混迷を重ねている生活とたたかいの方針を自分の手で編みだすよりほかはなくなった者たちの疑いと願いがすでにちょっぴりふくまれているのだが、にもかかわらずこの拍手は自分とそのまわりの公式性をつき崩す力をまだ持っていないことは明らかである。

「だって」と唇をゆがめながら、上記の学習リーダーはいう。「大衆は拍手しましたよ。大衆を信じるべきですよ」そして彼は鶴見俊輔が「マルクス主義はそもそも硬直的なものだ。そこがマルクス主義のよいところだ」といったことをきわめて硬直的に非難する。「あの場の拍手で自分の意見の正しさを証明しようとするやり方こそ浅薄なプラグマチズムですよ。あなたは鶴見君よりもはるかにプラグマチストだな。」がんこなプラグマチズムというものが成立するかどうかは知らないが、鶴見の言葉からハード・ボイルドな文体と結びついたイメージの一片をうみだしえないようでは日本の民主主義はアメリカの探偵小説に劣る――といったようなことをどうして伝えたらよいのか。

いま労働者の世界では「アンポ・ゴーリカ、アンポ・ゴーリカ」とこわれかけたポンプのような声が氾濫している。それを何万回もくりかえしていれば何かがボーリングされていくであろうという天晴れな忍耐力の持主、かれらを私は「心棒派」とよぶことにする。つまり運動の軸ばかりが気になって運動の回転を忘れている人々である。その反対に、もっぱら回転の重大さを説いてみずからは回転せず、したがって運動の軸に無関心な「回転派」がある。だが事実はどうであろうか。私にはケンカ両成敗というよりも、今日の停滞した局面については心棒派の責任に帰するところが大きいと思われる。

しかし問題は情勢の曲り角の一つ一つで審判官気どりの旗を上げ下しすることではない。心棒派に心棒がなく、回転派は回転していないという事実が大切である。ある日、私は心棒派の要素をふくんだ回転派、武井は回転派の要素をふくんだ心棒派ということにしめしあわせて兵庫の労働者たちと一戦をまじえてみた。なるほどそこには心棒派も回転派も存在してはいたが、午前と午後と夜の討論を通じてかれらはひっそりと泡を吹いているだけであった。

いったい何がどうなっているのか。国民文化集会ではどの分科会も「創造」という言葉の花盛りであったらしい。そこでは鑑賞組織に批評の精神と機能を加えて鑑賞行為そのものの場を創造的にすることとか、そのような広い意味の創造性を通してのみ文化の名に値いする交流が成り立つとかいうことが語られた。だがそういう主張は硬直と流動、心棒と回転などの対比とおなじく、あまりにも自明なことがらである。いわばそれは古典的なブルジョア・イデオロギーの中にすら充分に発見しうるものである。「おれたちは何をやっているのかね。いつまで経ってもトカゲのしっぽばかり切っているのとちがうのかい」私がそういうと、彼もいささか撫然たる面持ちであった。

国民文化とはそもそも民主主義文化と対応する概念だからそれはそれでよいのだ、いやプロレタリア文化に一歩足をつっこめというような議論がそこから生まれるかもしれない。しかし当面する戦略段階と文化情勢をいとも安直に照応させるようなことは私のもっとも嫌いなところである。それを前提におきながら、私は日本人の意識の二重構造性につきあたるとき、日本の文化の問題はいつでも二段階を一度にかけ上ることだと考えざるをえないのだ。軸と回転を同時に解決する視点はここにあるのではないか。

去年の全国集会における文学交流会で、私は創造とその組織の内的関連こそが当面の問題であることを力説した。そのとき出席した新日文会員はキョトンとした表情で話のつぎ穂もなかったが、一年たってそのことを検討せざるをえない情勢に追いこまれている。しかし私にとっては、それはもはや議論の段階ではなく実験の段階であるように思われる——大阪文学学校の席上、私がそういったら、さっそくプログラムを出せときた。私は答えた。「自分で読みたいものを考えてみよう。私が読みたいのはサルトルとボーヴォアールが共同して書いた一篇の小説だ。そこに私のプログラムがある」「ぼくは絶望しているけれど、それは面白い」といったのは、谷川雁における革命と性の相剋などとうそぶいていた針生一郎である。

（一九五九年一一月九日「週刊読書人」）

サークル学校への招待

あるとき、若い坑夫がたずねてきて「なにか文法の本でよいものはないか」という。とんまな鳥が一羽舞いこんだと思われたくないそぶりで、彼は事情を説明した。「本を読むでしょう。分ったという気になりますね。しかし自分の理解が絶対に正しいかどうか、いくら何を読んでもはっきりせんのです。ところが学習サークルにいくと、真理は一つだというじゃありませんか。なるほど、おれも真理が二つあったらおかしいと思う。だけど、文章の読み方がまちがっていたら、どうなるんだ。だからおれはこれ以外にないという読み方を知りたい。それには文法というものがあるそうな。」

人体解剖図にのぼせあがった蘭方医にしても、この程度の哲学の持主だったかもしれないと考えながら、「もちろん手許にそんなものありゃしないがね。よい文法の本なんか色々あるだろうよ」と答えたら、彼は激しく手をふった。「色々じゃだめです。これ一つというのがほしいんですよ。」「よし、そんなのがあるとして、いったい君はどうしてそれを正しく読むのかい。文法の文法がまた要るといって聞きにくるんじゃあるまいか。」すばらしく怒った目つきで、彼はみあげた。「あんたもやっぱりインテリですな。種明しをしたがらないんだ。ごまかすんだ。だが、あんただってネタはあるでしょう。それがいえないのですか。」

「もちろんネタはあるだろうさ。しかし、それがどうして文法でなくちゃならないんだ。」私はいささか弱りながら、聞き返した。「あたりまえですよ。」彼は勢いこんで、ちょっと眉をしかめるようにした。「民法だの刑法だのは人間のもめごとにさばきをつけるもんでしょう。だったら文章にもさばきをつけるもんがあるはずですよ。それが文法ですよ。」「ところが君は民法や刑法で万事さばきがつくとはいえないだろう。」「いや、おれはあの文章が分りません。文章さえ分れば。」「それもまた文法だというのか。だけど文法が分ってもなお分らないことがでてきたらどうするんだ。」「どうしてそんなことをいうのですか。文法というのはですよ……とにかくおれはまずそこからはじめたいのですから、どうです、ひとつ教えてくれませんか。」

思想はかならず命題であり、命題には唯一の正解があり、その解法を示すのが文法だという彼の信念は、ちょっとやそっとで揺らぎそうにもなかった。「そんな文法書があったら、世界をまず焼きはらっておいて」という風な錯乱したことを口走りつつ、私は井上光晴の話をした。「この男はね、なんでもないときに突然――おい、万年筆なら七百円のP……だぜ、それは絶対だとか、――現代詩のナンバーワンはいまK……だとかいうのが得意でね。そのたびにぼくはふふんと笑って、こいつは労働者ってものをちょっぴり知ってやがると思ったものだよ。」「すっきりせんなあ。おれは文法を探しているんです。それもたった一つしかないものをですよ」彼はなおふんまん去りやらぬ面もちで帰っていった。しばらくして、それまで熱心だった労働運動をやめたということを聞いた。彼の友人たちにいわせれば「やつは銭《ゼン》にならん、精神病院ゆきだ」とすましていたが、労働運動を彼のいう唯一の文法書のごときものと心得ている私は、彼といれちがいに「すっきりしない」ことになった。

対人関係が、こんな風船をぶっつけあうみたいな会話で断たれようとつながろうと、いまさら動じるわけではないが、しかし私には彼がすでに何かを知っていて、そこから願望の蔓をのばしてきたもののような気がして、ちょっとした推理小説風の興味をそそられないでもなかったのである。それにしても、あのがむしゃらな押しと、文法などというしろものに到達した技術偏重とがどこでどうして乳くりあったのか、その後彼のうわさひとつ聞かないままに、私は迷宮入りした巧妙な犯罪みたいにほうっておいた。

ところがさきごろ、角力のテレビを見ていたら、同席の仕《し》操《く》夫《り》（坑道の枠を維持する職種）が「あ、柏戸みたいな顔してる奴は採炭になんぼでもいるぞ。これは採炭顔じゃ」とさけんだ。そういえば、たしかにちがいなかった。戦意をぎらぎらさせるのではなく、むっつり口を結んで、ほうと息を吐く闘志の表現法はまさに採炭夫のそれである。炭塵と熱気にみちた切羽でつるはしをふるうこの職種は、いつも不平に充満しながら爆発をおさえている章魚といった風な顔面筋肉の訓練を受けるのである。私は仕操夫の意見に賛意を表して、ある保安係にこの話をし、観察してみてくれるようにといった。数日たって彼の報告が人づてに伝えられた。「いますよ、柏戸が。なるほど採炭の者たちですよ。」

産業別はもちろん、一つの企業の職種ごとに気分や表情が異るのはあたりまえのことである。ただそれがスポーツマンと結びついたところが面白かったのだ。中小炭鉱の主婦が「どうして三池の第二組合長を殺さんのやろうか」とこともなげに首をふったりするのと、プロレスのテレビがある日は大手炭鉱の炭婦会の集まりがむずかしいといった例とは、どうやらかすかにつながるものがあり、それは単純にあの装飾的な日本型の侠気とばかり解してはなるまい。事実、野球の選手といったものはことごとく和洋折衷の見本みたいな顔をしていて、これがはたして粋なのか野暮なのか、おのれの美学をためす試験紙のような心持ちがするが、それとおなじ混乱を起させるのがヘルメットをかぶった坑夫のデモである。おそらくまちがっているのはこちらの美学的パターンであり、日本にだって暴力と精神がまっしぐらに結びつく領域がないわけではない。いや、本来それが労働というものではないか。とすれば、習慣となった身体的反応とスポーツとの対比から、労働者の心中でルールの柵にかこわれている暗黒な実質部をかいまみることができるような気がしたのである。

私は、炭鉱に拳闘家のような職種はないかと考えた。思ったよりも貧弱な体つきをしていて、エネルギーのものすごい集中にむしろ技術と受身の綜合で耐えぬくといった人種を探した。すると、それは掘進夫よりほかにないと思われた。マイトをかける穴を岩盤に掘るので、あなくりとも呼ばれている彼らがドリルをあてがっているさまほど、労働が火花と化してとびちっていると感じられる風景はない。燃えつきてゆく柱のような彼らの傾いた裸体を漆黒の闇を通してすかしみるとき、私は人間の性交がいつもこのくらい激越でありうるならば、人類の文明もすこしはましなものになったろうと空想するのだった。そして私は、彼らが日常生活では両手をだらりとさせているのをみつけた。てのひらをもちあげるときは、ふいにオーケストラの指揮者のように手の甲で語らせる神経質さを示すこともあるが、ふだんは緊張をぬいてしまった腕のためにいくらか阿呆じみて見える。この意見を、柏戸＝採炭夫説を唱えた仕操夫に話すと、彼は「そうだ、その通りだ。そのほかの特徴はありえないなあ」と一も二もなく賛成した。

そうすると、かつての文法主義者はどうなるのだろう。押しの一手は採炭夫で、文法という非人格的領域へだんだん後ずさりしながら決定的な一発を技術的にねらうところは掘進夫か。残念ながらまだ彼の職歴を調べていないので、なんとも即物的な解釈をしかねるが、すくなくとも彼が心情の面で二つの要素をからませていたことはうたがえない。彼がちょっぴり分裂症に近く見えたのも、そのせいではなかったか。

いずれにしても、日本の労働者がまだ自分の要求をほんのすこし高次なところでとらえようとすれば、かくのごとく局所的な表現になってしまうのを避けられない事実は、大衆の学習運動を考えるときに見逃せない重大な点である。この場合、だから局所ではなく体系をという処方箋が有効であろうか。私はそれが労働者に肉離れを起させる結果にしかならないと考える。なぜなら、この文法主義者の例をみても、筋肉労働者の精神の特徴は決して「局所と全体」といった風な二元性をもっては展開しないからである。したがってまた、いくつかの小状況=単元をある種の皮相な観察のままでつなぎあわせて展望を得るという方法も、彼自身の土台をゆるがすほどの認識にはなりえない。

彼の求めているのは、局所のあくまで深いボーリングがそのまま全体の展望地点になりうるような圧縮された集中点である。そのような傾向はむしろ知識人に特有の、二次的な属性であると考えるところに、労働者階級に対するわが国のリーダーシップの不毛さがあるのであって、彼らの啓蒙が労働者の怒りをすら招かない、すなわち怒りとじかに接続しえないのはこの辺の事情に無知であるからである。

なるほど炭鉱のサークルを見ると、たいていのところでは仕操夫の比重がきわめて高い。そうでなくても、多くは直接夫ではなく、間接夫によって占められている。それは日常の仕事の密度が採炭や掘進ほど高くなく、そのゆえに観察と批判のゆとりを持っているからであろう。それ以上に各職場の有機的な連関をにぎる職場、たとえば配電部門といったところは経営者の人事管理がきびしいのはどの産業でも同じである。仕操夫というような職種はある意味でサークルの好発部である。しかし、そのことは直ちにそのサークルのもろさにも通じる。すなわち局所と全体を同時につらぬく、むきだしの欲求にヴェールをかけてしまうおそれがある。

人々は三井三池労組における「向坂教室」の効果を云々し、評価は別としてあたかも信じられないことが起ったかのように疑っている。しかし、これは簡単な現象である。労働者の集中的な欲求に向坂逸郎の単系的な指向が答えたのである。彼が労働者の欲求の場に身を挺したことはだれも否定することができない。同時に、彼のことではないが、外出の際にはうどんしか食べないというような人間がいくら現場に身を挺しても、結果は分りきっているという気がしないでもない。それは、労働者の欲求を埋め立てるからである。

単系的な思考と一元論がまったく別物であることはいうまでもないが、どうやらわが国の思想界では、まだそこらがあいまいな気分で処理されているらしく、目下のところマルクス・レーニン主義の純潔とはただの単系発展説にすぎず、プラグマティズムの複眼とは二元論の避難所にすぎないのは、あえて例証をあげるまでもない。重大なことは、労働者階級の欲求に底深くもぐっている力強い一元論がしだいに卑俗化していく過程で、まず単系的に硬直し、ついで外部に完成された解決の鍵を求める実用主義となり、そこから権威化されたいくつかの系列を多元的に並べたてることを一種の洗練と受けとるにいたる筋道である。それはコミュニズムからプラグマティズムへ通じる秘密の地下水道であり、両者の思想にとって、その根源的エネルギーを喪失しているという意味で、あきらかな堕落である。

戦後日本社会の精神世界を特徴づける事実は、なんといっても量的な左翼の形成ということであろう。同時に戦後の十五年間は「早激的・跛行的」に左傾した無名の若い魂たちが、その自覚の道筋を逆廻りして、同じ回路を急いで引きかえす過程でもあった。もともと日本の転向を精神現象的に見るならば一種の先祖返りにすぎず、鶴見俊輔がいうように転向をきっかけとして新鮮かつ異相の世界にふみこんでいくためには、むしろ転向が第二革命にならなければならないわけで、それは転向を化学変化せしめる別な触媒を必要とする。というよりは、転向も非転向もそれが歴史的に化石してしまえば何の精神的意味もないのは当然であり、問題は転向か非転向かの二者択一を毎秒ごとに迫られている現在的緊張のうちにのみ存在する。信念の安全地帯に隠れ去った転向、非転向を論じるのはエネルギーの浪費である。

とはいえ、かの文法主義者が私のところを訪れたのは、まさに単系硬直と権威的実用主義の併存段階で、転向一歩手前の苦境を訴えようとしたものらしい。そして大方の戦後派もまた、この精神の非合法コースを通ってコミュニストからプラグマティストに転化した。もちろん私は、共産党の五〇年分裂後において日本プラグマティストが単系硬直をいさぎよしとしないコミュニストと連合してからくも支えた一つの連続感を評価することで、人後に落ちるつもりはない。しかし、その事実を盾にして思想の密通を正当化しようとする人々は、おそらく本来卑俗な実用主義者であったものが先祖返りしたものにすぎないとにらんでいる。でなければどうして、『思想の科学』あたりにひんぴんとあらわれる——挫折々々と自分の傷を鼻にかけ、嬉々として整骨院の門をくぐるといったおもむきの文章が書けるのであろう。

挫折というのはちょっとしたものだ。首を吊るのもばかばかしくなるところまでがっくりいかなきゃ、そもそも話にならないのだ。そして革命家とは、不断に首の骨を折りつづけている人種のことにちがいない。ところが挫折を歌っている最近の、虫歯もないような連中はいったい何をしたというのだろう。金ピカ闘士の単純なうらがえしにすぎない彼らをみると、私は乾草にまみれた兵隊たちにまじって「輜重輸卒が兵隊ならば」ではなく、「おまえの挫折が挫折なら、蝶々トンボも鳥のうち」とはやしたててみたくなったりする欲望をおさえることができない。

今日の日本で、だれか挫折していない者がいるだろうか。転向、非転向はいわずもがな、被支配階級も支配階級もともになかよく挫折している、いわば一億総挫折というのが私の一貫した情勢論である。問題は挫折の質と深さにある。敗戦の灰燼から、まだだれも羽ばたいてはいないのだ。むしろ羽ばたいてはならない、羽ばたきようもないところをいかにして飛行するかという課題は、今も糸を引いている。飛ぶために、外部の権威にいちはやくタッチしようとする競走が愚かなことは自明である。しかし、だから、主体性だなどと念仏をくりかえしても、主体性が唯一の文法書になるだけの話であろう。挫折は何によって起ったか。それは権力的強制というよりは、強制に対応する姿勢によって起った。したがって主体性の問題といえなくもなかろう。だがこの主体性を構築するにあたって最も重要な点は、この主体がいったい何にタッチするかということであった。泉のない土地、井戸のない場所に家を建て、天水で命をつなぐという方法は、この湿っぽい列島でさえもあまり成功した例はない。

ところで、この国にただひとり転向不要の、そして転向不能の危険な精神領域を創造しえた男がいた。それは柳田国男である。彼の側からすれば天皇制だの資本主義だのというものは触手の一本までのぞきこむことが可能であり、天皇制や資本主義の側からはさっぱり何もみえなくて、つい勲章までくれてしまうというマジック・ミラーの発明者である。ずるいといえば、これほどずるい手はなかった。しかし日本の神をあれほど散々に論じながら、天皇制官僚に一指もふれさせないというのは見事というよりほかはない。彼こそ天皇制を手玉にとった人間であり、その意味でその方法論はそのまま戦前戦後の革新派に対する間接的な批評でもある。私は彼の記述のトリビアルな模糊たる平面性と不条理な飛躍に閉口しないわけではないが、にもかかわらず、もし戦後初期の志賀義雄が試みたような、柳田の開拓した領域へのマルキシズムの適用が行われ、そこで生まれた思考様式が行動化されていったならば、戦後民主主義の根づき方は現在とくらべるべくもなかったと断言したい。

柳田のとった方法――日本の二重構造の下半身を上半身から切離し、それをプロパーに追求する。それによって大衆のエネルギーに接着してやまない公然性を得るという方法は、実は日本式の抵抗の歴史的な原型でもあったわけで、柳田自身はその系譜をどこから仕入れたか私はよく知らない。だが、それを現代の一点に引きしぼってゆくなら、すくなくとも上部構造を回転させることのできる鍵の鋳型が得られることは、論理的に了承されるはずである。そしてそれは、単に抵抗の武器というだけでなく、日本文明の様式を構造的に投影したレントゲン写真に近づくだろう。故意か無意識か分らないが、柳田が避けたのは時間の座標軸を常民という概念で消去することであった。それを操作するだけで、体制との摩擦を鋭角にもすれば、鈍角にすることもできる——すなわち、主導権を手許に握って離さない工夫は、いやいやながらすばらしいと認めざるをえないからくりである。

いまにして思えば、私はかの文法主義者に井上光晴よりもむしろ柳田国男の話をすればよかった。そうすれば彼のいう唯一の文法へいくらか前進させられたかもしれない。おそらく柳田はいちはやく自己の生涯をあえて挫折の連続とみずから規定し、そこに身を挺した人間であって、その経過は日本の帝国主義と逆のヴェクトルをもつ稀有の人物が描いた、もっともあざやかな精神下降の軌跡でもある。言葉を変えていえば、一九四五年八月一五日に彼ほど無傷な発言権をもっていた人間はすくなかったと考えられる。そのゆえに私は、この不屈の老人に対して殺意のごときものをそそられずにはおられない。しかし今はやはり彼のスプリングの使い方の見事さに敬意を表しておく。

私などは、過去の勘定書がいつやり直してみても赤字でしかないことに業をにやし、もはや宿命のごとくあきらめ、赤字のもつ生産性を強調するほかに術のなくなつた人間として、砒素をくらった鼠のように水を探しているにすぎないが、それにしてもくるくる廻っているだけの私が発見する水はいつまでたっても、採炭夫のようにほうと息をはき、掘進夫のようにだらりと手をさげている姿勢、ただそれだけでしかない。これはいったいポエジイであるのか、アンチ・ポエジイであるのか皆目見当もつきかねるが、しかしこれは文法主義者ぐらいには、私が労働者的であることの証拠でもあろう。いわば私は永久挫折者のまっしぐらな抵抗というものが成立する精神的基盤を探しているのである。そのためには疎外からの単純な離脱ではなく、疎外の多層性、暗黒の複合のうちにひそむ一元性を欲求しつづけるよりほかに手はない。

思想の単系硬直は、疎外からの離脱を短絡によって果そうとするときに起る。それを避けるためには——瞬間的・局所的な集中で全局面に作用しようとする態度はむしろアカデミシャンのそれであって、反アカデミズムはもっと広い展望に位置づけられる相互連関性を尊ぶという俗論を破らねばならぬ。日本人が孤立した狭い島国というコンプレックスからぬけださないかぎり、この種の広さへの信仰はいつまでも続くだろうが、すくなくとも人間が何物かを創造するのは、狭さや広さという観念にかかずらうことを棄てたときである。そのときはじめて広さがうまれるのだ。

ナショナルにしてかつインタナショナルな地帯は疎外の極点において統一的に存在する。社会革命の成功とは、意識の次元からみるならば、まさにこのような認識が支配的になるということであろう。しかし、それは疎外の極点そのものが確実に洗いだされて、思想的により高次な極点へ移動したということにならない場合もあるだろうし、一方ではかかる認識の勝利が観念的領域にとどまることによってはじまる新しい疎外の客観的な成長ということもあるだろう。にもかかわらず、いやそれゆえに人間が疎外の新しい極点を追って移動してゆくことは必至なのだ。それは革命の心情的モティフである。

悲劇的なことは、問題を真にうみだすのが疎外の多様な重なりであるのに対して、それを認識するのは疎外の間接性によってであるという矛盾である。ひとりの人間に存在する一種類の疎外から、おなじく内包されている他の種類の疎外を見ることができるなら、それは精神的所産として対象化される可能性をひらく。だがいくら疎外の重みが加えられても、それが等質な疎外の累積であるかぎりはなかなか表現をもつに至らない。また異質な疎外の加重が大きくても、それを相互に眼として使用する操作法が分らなければどうにもならない。みずから下降するインテリはその辺のからくりを心得た盗賊である。さしずめ柳田国男あたりを始祖とする私たちのような盗賊の群は、まだ当分の間は悠々とかすめとりつづけるにちがいない。

もちろん文法主義者が柳田国男を読んだとすれば、彼は「嘘をつけ」と天に向ってよばわることはできるだろう。なぜなら、輜重輸卒自身「輜重輸卒が兵隊ならば」と歌うことによって将校の横っ腹にすきま風を入れる方法を、本来輜重輸卒でない者が発見したところで、その使い道に困るからである。したがって、それはせいぜい学問だの芸術だのに静止し、凝結するよりほかはない。だが、それかといって、発見された方法的認識と発見者とを混同し、いっしょくたに否定してしまうのでは不毛のくりかえしである。インテリが穴のあいていない植木鉢のような学問、芸術をこしらえ、穴のあけ方まで書物にしているときに、そちらは替歌ぐらいしかできないという次第に相成るからである。

日本の労働者は、もはや自分の体内でうごめいている葛藤の集中点を所有しはじめているかにみえる。その苦痛が文法と叫ばせるのだ。しかもなお文法主義者たる彼は、私のような盗賊が返還しようとする鍵を受けとり、把手を逆に廻して扉をあけようとしない。柳田にくらべればいくらか強度の疎外を受けて、部分的に労働者化している私は、その間隙を縫って生きながら、不正な情熱を感じる。志に反して私は盗賊を裏ぎることができない。おそらく彼と私の個体からたえまなく流れだしているのは「詩」のような実質である。それがいかに交換困難なものであろうと、岩石粉砕機とコンクリート・ミキサーのような装置を作って融合を試みることよりほかに、私は自分のエゴを掘進する術がなくなった。

かねがね学校制度に深い呪いをもっている私は、このような装置として一種の〃サークル学校〃を構成したいと考えている。それは奇妙な病院であり、無形の工場であるといってもよいかもしれないが、いささかポーズたっぷりにいえば、そこでは憎悪、偽瞞、倒錯が道徳的標語であり、それぞれの教科なりクラスなりは、すべて知的エリートを自認してゆずらない労働者、農民の一団と、知的トラストの解体を強硬に主張するインテリ出身の一団との歯をむきだしたいがみあいという風に仕組まれ、進行させられねばならない。ただし固定した教師もなければ教育技術もなく、一年に一回、二週間ほど朝から晩まであらゆる種類の日常労働、たとえば料理、裁縫、家屋修理の類いを通して相手方を圧倒し、説得しなければやまない努力がつづけられるのである。そしてついに両者のグループのいずれにも所属不明となった人間は、全員の認定によって孤独な卒業生とみなす。最後まで拒否権を互いに行使しあった二人が生まれたら、その二人に連帯せる卒業生として新しいサークル学校の創設を依頼する。
ざっとまあ、こんな筋であるが、私の空想はあまりにギリシャ的であるらしく、まだ実現の端緒はおろか、なにほどの同調者も得ていない。しかし猫に踊りを仕込む学校だってあるそうだから、こんな学校の一つぐらいはあってよかろうといまだに執着している。

（一九六〇年五月号「思想の科学」）

自立組織の構成法について

　ここにはもうあの新鮮な「黒」の世界はない。しだいに蔽われていく灰褐色の、霧まじりの、衰死する前の一匹の甲虫に似た、地図の上にだけ存在する活気——筑豊炭田。そこで何が起ることができ、また起りえないのかは、この国の戦闘性というものの運命に一つの尺度を提供するだろう。

　坑夫たちはこのまま、百年の圧制にさけびもあげずにたおれていくのだろうか。おだてられ、すかされ、未来をあたえると称する演説、署名、投票、形ばかりの争議にひきずりだされ、すべてを委任し、委任したすべてが朽ちはてる坑道に埋められるのを見守るだけであろうか。

　一つの答が起りかけている。大正炭鉱と九州採炭という大手のどんじりと中小Aクラスの痩せさらばえた炭鉱で、自然発火しはじめた硬石《ぼた》のような煙がたちのぼっている。遠賀川式土器の発祥地、川筋気質の故郷で、その薄い煙は夜に入ると赤い色を見せる。濃い霧の中の一点の火であることはうたがうことはできない。

日本民主主義の諸悪の根元——いわゆる〈民主集中性〉のいかさまに対して、それははげしく抗議し、抗議を運動のかたちであらわそうとしている。九州採炭では炭労の戦意をあらかじめ去勢した産業別統一闘争に労組が批判を加え、それと別な立場で「危機突破行動隊」の編成が進められようとしている。大正炭鉱では死活をかけた第二次合理化闘争における無気力な方針を批判して、ついに労組をして無期限ストを決意せしめるにいたった青年の独自の行動隊が公然と活躍している。労組の統制から自立した、青年を中心とする行動組織の結成という観点は、炭労幹部のダレきった「指導」をシンカンし、三池の青行隊にまで大きな反響をよんでいる。

うらみ深き、かの「統一と団結」論は、安保と三池の敗北からくる停滞した空気をうちやぶって、ひとすじ清冽な風を送りこんだこの新しい大衆組織と、それが提供する新しい組織原理によってワクを破られた。この大衆組織は三つの原則からなっている。

㈠　あくまで労組の統制から自立した組織であること。

㈡　労組の決定した行動は、それが下部労働者の基本的権利——集会、言論、結社などの自由——を侵害しないかぎり、積極的に公然とその先頭に立つこと。

㈢　しかしながら、それによって労組機関の方針にたいする批判をいささかも制限することなく、徹底的なイデオロギー闘争をするとともに、それを支える独自の行動をすること。

それはかつて赤色労働組合主義として放棄された工場委員会——統一委員会方式とは、その構成原理において大きな差違がある。なぜなら、かつてのそれは少数派である「前衛」が自己の論理を貫徹せしめるための手段にすぎなかったのに対して、この行動組織は当初から労働組合の多数決原理が少数派を無視し、抑圧して、いかさまの民主集中制に堕落するのを防ごうとしているからである。かつての方式はほとんど非公然であり、大衆の眼の前で行動することはまれであり、その組織そのものはきわめてあいまいな拘束性をもっていた。しかしこんどのばあいは、少数派の見解をいかにして鮮明に守りぬくかということに重点がかけられており、従来疑問をもたれないままに通用してきた民主集中制と称されるものが欺瞞でしかないことを大衆に自覚させ、多数決代議方式のなかに自立した直接民主性を生かそうとしているのである。すなわちまず自分自身が、多数派による組織独占の正当性を否定するものだから、単純な多数決原理によることなく構成されなければならない。

どうすれば、それが可能となるだろうか。敵階級とのはげしい、緊急の対決のさなかで、つねに構成員全員の直接の意志表示を求め、それにもとづいて各自が賛成のばあいは行動し、反対者はその間行動を留保するといったことは、現実にいつも適合するとは限らない。しかしながら、それを理由として無条件に多数決原理を拡大適用するならば、そこに代議制がさしはさまれることによって、直ちに今日見るような「上官の命令は朕の命令」という天皇制論理の再現となる。

これをうち破るためには、単なる意見の表明が権利としてだけでなく義務としての裏づけをも持たなければならないのはもちろんであるが、それが完全に行なわれても、それだけでは行動の渦中で自分の内的要求にしたがうことが困難なばあいが少くない。下部の自由を拡大しながら、分散主義におちいらないためにはどうしたらよいのか――ここに多様性と創意性と統一性を統一しようとする今日の組織論的課題がある。

この課題自身、多くの創意工夫と実験によって発生的に追究されなければならない問題である。たとえば、その方法の一つとして拒否権というスタイルを考えてみることも必要であろう。二人の人間の意見が一致しなかったばあい、二人がそれぞれの道をとることを認めるか、それとも一方が相手に拒否権を行使してもその道を選んでもらいたくないと考えるか、同じ反対にしても消極、積極の区別はおのずから存在する。従来の代議制と多数決方式を統一という名でおしつけるやり方は、いわば上部が一方的に拒否権を乱用し、下部に一定の拒否権の行使を認めることを拒否しているのである。

したがって、この潜在している上部の拒否権の無制限の乱用――たとえば執行部と異る意見を執行部の意志決定後に発表して訴えることを決定違反として攻撃するやり方――を制限し、上部も下部も同位の拒否権をもつことを確認し、その拒否権の行使方法をあらかじめとりきめておくというようなことが必要になる。それは赤軍のなかに司令官と政治委員の二重指導があるように、緊急な行動をふくむばあいほど一名または数名の拒否権をもつ者をあらかじめ直接無記名投票で選んでおくというようなやり方を指すのである。またそれは、共同して一つの仕事をする人間関係のなかにおいても、つねに相互の反対意見について、拒否権があるとすれば、それを行使するほどの強い反対であるか、それとも反対ではあるが相手の行動を制限するまでのものではない反対なのかという区分をはっきりさせながら進む態度を養っておかねばならないことになる。

今日あらわれている炭鉱労働者の自立組織は、それがいかさまの統一団結論を否定するものである以上、いささか形式的にもみえるこのような工夫に支えられなければ、決して充実した発展をとげることはできないと考える。同時にそれが成就するならば、それこそ音を立てて堕落しつつある反体制組織を具体的にのりこえる大衆組織の新しい構成方法となるだろう。

（一九六〇年一一月号「サークル村」）

IV

武勇の国の臆病者を

文学の切羽としての労働について

文学とはそもそも「地方」のものである。セントラルな感覚、スタンダードなことばなどがおよそ人間を毛穴の方から組織してゆこうとするたくらみに役立つはずもない。けれども毛穴がどのようなからくりで開いたり閉じたりするかをわきまえるには、「最大の地方は東京だよ」というようなタンカで安心してもらってはならない神経がいる。都会が一つの地方にまで高まっていないこと……それがこのばあい問題なのだから。たとえば、『群像』に連載された加藤周一『神幸祭』の第一回分を読んだある炭鉱労働者がいった。

どうせ最後は殺すにきまっているが、さあて、落盤かな、水没かな。

ガス爆発などはどうせ奴さんの手には負えまいといった口ぶりだ。リアリズムだの、鑑賞眼だのとのんきなことはいうまい。坑内での死に方にも四十八手あるという、そのうちの一手だけでも加藤のペンがものにするためには、ひとたびシチュエーションを見破られてもなお文学でありうるものは何かという問に対する、彼のさっぱりした答がなければならないだろう。この坑夫があざわらっているのは、セントラルな作家たちの答がすべてこのところで「芸」としか書かれていない単調さなのである。

私がすこし空恐しく思うのは、あの謹直な加藤でさえも、これくらいのことは充分に知ったうえで計算しているのではなかろうかという疑いである。坑夫たちがあの小説を歯牙にもかけないことは承知のまえで、その理由の急所は彼等をふくむだれも指摘できないだろうから、それはそれなりにひとつの誠実な試みとして評価されるだろうという性根がありはしまいか。くりかえしていうが、坑夫は作者の現実に対する無知ではなく、小説に関する中毒症状をひやかしているのである。そのような坑夫を計算しない、今日の誠実さとはいったい何であろう。

文学とはなんとばかばかしいものか。それはおれたちの毛穴を組織しないばかりでなく、それによって組織されたと感じるやつがいるらしい。だがよく見ると、あいつらの奇妙な器に入っているのはただの水じゃないか。水に酔っぱらうのは、おれはごめんだ——こんなうなり声と終日鼻つきあわせ、なぐったりなぐられたりしていないで、石灰山みたいに白っちゃけた炭鉱をすらすらと書ける楽天的な啓蒙性が「今月一等の完成作」(アカハタ文芸時評、玉井五一)であるとすれば、切羽まで下りるたびに「炭鉱などこの世から消えちまえ」と思う私なんか、まっさきに文学を棄てたい人間である。

きのうも私のところに届いた三菱上山田炭鉱の詩人木村日出夫の便りによると「こんど生まれ

てはじめて、ほんもののボタをかぶって、その痛さを身をもってあじわいました。もうすこしでザ・エンドになるところでした。」とあった。大学を出て六年坑内夫をやった『せんぷりせんじが笑った』の作者上野英信はそれを読んで「あいつ、軌道などまぬけた職種でのうのうしているから、穴にもぐって十年になるというのに、はじめてボタかぶったなんて言っておれるのだ」といとしそうにつぶやいた。その彼と木村と私が今夏、摂氏三十五度、傾斜十八度の切羽へ安全装置のついてないエレベーターで垂直五百メートルのたて坑をおりたのだが、岩粉と炭塵と霧に吹かれている水の渦巻く七百七十メートルからはいあがったとき、彼は「もうおれも採炭夫は無理だなあ」となげいたものだ。親しい人間の一人二人が坑内死をとげた経験のない者はいないといわれる古い坑夫たちの世界が、加藤周一の文学的シチュエーションをたやすく看破するのは、果してそれが彼等のなじみの題材であるからにすぎないのか。

いや、遠慮もすぎれば何とやらである。幼いとき父親を感電死させた宇部興産炭鉱の若い詩人花田克己は「私がなにか眼をひらくときは、かならず坑夫の死によってなのです。」と語ったことがある。だが彼も、自分の子が三代目の坑夫を希望したとき、よろこんでそれを受けとめるかどうか、まだはっきり気持が定まらないというのである。いわば炭労十万の坑夫たちのうち、ただのひとりも坑内労働を花がひらくように、その全身で吸いとってはいないという事実があるのだと私は信ずる。それは幾多の先進的な坑夫たちの証言によって私がたしかめたところだ。この一事のなかに革命の芸術と芸術の革命を同時に輪切りにするはがねがふくまれているのだ。社会体制と個人の姿勢が決定的にかみあって離れない地点だ。

あばらを六本もたぬ私などは一度坑内へ下りただけでヘトヘトになるし、廃坑の奥に入る勇気もないから、前述の上野が落盤の危機にさらされて一人逃げおくれて以来、にわかに坑内夫をやめてしまったと本人から聞かされても、腰抜けなどと思うものではさらにない。むしろ彼にいつも勇気と忍耐もほどほどにしろと言っているくらいである。『月刊炭労』という雑誌をめくってみても、そこに臆病者でなければ見ることのできない光景がまるで描かれていないのが何とも物足らない心地がする。

炭鉱地帯は武勇のほまれ高い国である。昭和の初年まで乳房をむきだしにし、キャルマタという奇妙なパンティをつけて男といっしょに坑内へ下りていた女たちは、いま夕日のなかで孫の守りでもしながら――おれはいつも亭主を引っぱって坑内に下り、おれが先山をやったもんだ――ああ、あそこはひどい圧制やまでなあ、などと話している。坑内での姦通はごく自然なこととみなしていたコロンタイはだしのこの老女たちも、こと労働のしっぷりとなるや、現在の労組幹部あたりをクソミソにこきおろす。したがって、坑内労働への恐怖が公然と語られるところまでに大胆な発言がきかれない。あたりをはばかる心理の屈折のなかで、坑夫の勇ましさが育ってしまう。仕事がひどいとはいっても、こわいとはいわない。そこに一種の弱さがある。おそらくこの文章を読んだわが坑夫同志諸君は牙をむいて食ってかかるであろうが。

だが『神幸祭』のからくりを看破したその眼が、坑内の恐怖を知らないとはいわせない。地方というものがいつもそのような強さの弱さで固定されているかぎり、セントラルでスタンダードな弱さの強さにしてやられてしまうことを私たちはあまりにもしばしば目撃してきた。とすれば「いっちょさせたら小頭めの奴が特別切羽をやるというた」と歌った女坑夫よりも、「棹取りさんというて大きな鳥は末は難儀の木にとまる」の方をさしあたって評価すべきであろうか。いや、やはり私は「蒸気おろしの曲片磐《かねかたばん》でいっちょさせたがけちのもと」といった大らかな嘆きの方に肩をもちたい。いずれにせよ、この三つの穴繰り節をあわせたくらいの厚味にすら、労働の領域におけるわれわれの文学はまだ遠く及ばないというべきではあるまいか。

（一九五九年一一月号「文学」）

日本の歌

親たちの手あかのついた世帯道具をそっくり遺言つきの目録で引きわたされたりしたら、子どもたるものいささかへきえきしないわけにはいかない。「ソーラン節」から「オハラ節」にいたる、あの内地民謡の九割を占めるといわれる七七七五調をゆずられた私たちは、いまさら「七五の魔」などとさわぎたてる了見はないにしても、奄美群島以南の八八六調の方が同じとぼけるならまだましだと不平の一つもいいたくなるところがある。さいきん発行された町田嘉章・浅野健二編『日本民謡集』、久保けんお著『南日本民謡曲集』、ヒョーゴ・フォーク・ロア・グループ編『民謡風土記』といったものを通読してみて湧いてくる感想は、やはりそうした不器量な娘が鏡にむかって駄々をこねたくなるときのような心境である。

もとよりそんな感想にいまさら新味があるはずもなく、『日本民謡集』の巻末をみても分るように、民謡の収集研究は明治末年からほぼとぎれることなく続けられており、その流れに沿ってこんなグチも絶えずつぶやかれてきたにちがいない。

だがしかし、私があらためて今日このグチから再出発しようとするのは、過ぐる日の「アンポ・ハンタイ、アンポ・ハンタイ」という、おみこしかつぎのような掛けごえに音楽的につくづく食傷したからである。

「アンポ」とあがって「ハンタイ」とさがる、あのギィコ・バッタン的抑揚のなかには、どうみても七七七五のドドイツ精神がふくまれずんばあらずというおもむきがあった。もっともこれは思想以前の次元というか、あるいは思想的リズムの次元における問題であるが。

もともと私は先祖ばなれしすぎるのは警戒しなければならぬと考えるたちだけれど、どんなに集団的な体験をくりかえしてもいっこうに凄味のあるリズムをみつけださないばかりか、やがてはお手々つないでフランス型とやらのデモに転落するということになれば、せめて「三を打って一に流す」山鹿流の陣太鼓でも持ちだして、「ア・ン・ポ」と切って「ハンタイ」と一気につきあげる工夫でもしてみなければなるまいかと観念するのである。

そういえば七七七五調が主流となったのは元禄期以降だそうであるから、それはようやく安定した純粋封建制の泰平ムードによって、民衆が戦闘のリズムを忘れた結果なのかもしれない。その元禄花見踊のテンポを早廻しにすれば、あのチャンバラ映画の伴奏が出てくるのだから、剣ゲキごっこと戦闘性の区分だけは念入りにする必要があるだろう。

リズムそれ自身として戦闘性をもたないという点では、うたごえ運動からうまれた歌などがその見本である。「しあわせの歌」や「わかものよ」などを合唱しなければならないときには、私は胸のうちで各小節のあとに場あたりのハヤシを入れることにしている。「しあわせはおいらのねがい（殺せ、殺せ）しごとはとっても苦しいが（殺せ、殺せ）」「わかものよ（それがどうした）からだをきたえておけ（それがどうした）」。そうでもしなければ薬味のないウドンのようなこの種の歌にまともに耐えることは不可能である。

しかし薬味をすでに逸脱した快楽と考えて、薬味なき素ウドンを作るだけでは満足せず、それをさらに飯の菜にするというのがめずらしくない日本農民の倒錯心理の尺度からすれば、このような秘密の調味法を公開したら、またぞろヒンシュクを買うにきまっている。その証拠に、三池ではやった「がんばろう」の作詞者が「燃えつくす女のこぶしがある」とやったら、うたごえ運動のアクチーヴたちから「燃えつくすとは何事ぞ、敗北主義ではないか」というわけで、独断で「燃えあがる」と変えられてしまった。組織活動の形式主義にも、家庭生活の欺瞞にも拒絶の心を秘めた女がはじめて完全燃焼の場をここにみつけようとする願望を、彼女は歌いたかったにすぎないのだが、そのような歌は山鹿流のデモと同じく、いまわが国では二つの体制からともに禁じられているのである。

だがこの立入禁止区域はいまさらはじまったものでないことが、庶民の遺産とされる民謡を読んでもはっきりとうかがえる。開放しかけてはつぼみ、開きかけてはしおれて、ついには口をつぐんでしまったもの、そのさんたんたる自己閉鎖の記念碑が日本の民謡である。

春来れば　田堰小堰さ　水コァ出る　泥鰌《どじよう》コ　鰍《かすか》コァせァ　喜んで喜んで　海さ入《えふ》ったど　思うベァネ（青森・田植歌）

たしかにここには春の解放感がある。内陸でしか暮していない百姓の「海」がある。だがそれはたちまち同型の発想を夏秋冬にもあてはめて、平凡なくりかえしにおちいる。このくりかえしは替歌の前提であって、替歌を一つの翻訳と見るなら、翻訳にふくまれる独自性をあたまから否定することはむろんできない。

娘やるなよ　坑夫の嫁に　硬《ぼた》がドンと来りゃ　若後家女《ごけじよ》　どれが顔やら足じゃやら

という筑豊炭田の歌は瀬戸内海の島にある石切唄の

嫁にゆくまい　石屋の嫁に　石がドンと来りゃ　後家になる

を祖型としているにちがいないが、替歌の方がはるかにすぐれている。若後家女という名詞どめの強さや死体の描写はもとより、「娘やるなよ」と「嫁にゆくまい」では一人称が危険をおかす者自身であるか傍観する者であるかという決定的なちがいをもっている。

しかしだからといって、私は三池の第二組合を諷した「ネリカン・ブルース」の替歌や「アンポ、アンポ、ナクノネ」を評価するわけにはいかない。そこにはまずだれかがきりだすのにあわせて、あわてて歌いだすという日本人の合唱にいつもみられる従属性がしだいに歌のテンポまでのろくしていくあのやりきれない悪癖がみられるからである。下部は上部に追随し、上部は下部に追随し、あげくは平均値的にぬるまって七七七五調を完成する——そのくりかえしはもうたくさんだ。
ハァー粘土お高やんが　来ないなんていえば　広い河原も　真の闇　アーゴッショーン
ゴッションン（山梨・粘土節）
ハァー　新地土手から　お座屋《だや》を見れば　アラヨ　なぐれお春やんが　潟担《がたいな》う
来たろば寄んない　道端じゃっけん　団子《だこ》して待っとる（長崎・新地節）

山梨の粘土お高やんと長崎のなぐれお春やんは双生児のように瓜二つであるが、万国共通の健康さすなわち本来的なエロチシズムというものはようやくこの次元からかすかにはじまるのではあるまいか。そしてそこにある戦闘性を「燃えつくす」か「燃えあがるか」という争点につきあててみれば私たちがいかに歌のない場所にいるかということがはっきりする。粘土節や新地節をふくめて、私たちの「闇」や「潟」はまだ一度も歌っていない。

或るとき或る場所で私たちの皮膚を全開放する肉声が歌だという定義はむろん理念的に正しい。だがそこにたどりつこうとする永久運動の過程が発展的であるためには、私たちがすでになにか歌の名に値いするものを共有しているかのような錯覚をつねにふり払わなければならないであろう。歌に対するおだやかな心をすてないかぎり、日本に歌が生まれる可能性はない。疎外からの開放、自己の内的主体の完全な創出をめざすものが歌への衝動であるのは分りきったことだ。

しかもこの疎外の曲折した重なりあいを見ない者には、今日の「反体制」陣営がはぐらかしながらくりかえしている、尋常一様のニセ歌があるだけだ。それにくらべれば、粘土お高やんやなぐれお春やんの方がよっぽど上等のエロスをもっている。

その眼でみれば、日本の民謡ですぐれているのは青森、岩手、山梨、奄美群島、沖縄などの辺地であり、農民よりも漁民であり、マニュファクチュア段階の労働者の歌である。それらの要素が疎外の深部で衝突しあったとき、帰属感の動揺がつきつめられて新しい次元をはからずもうみだすとき、それなりの歌がうまれていることが分る。

この意味で「祝いめでたの若松さまよ」とか「金比羅船々」ぐらいしかうみだしえなかった日本の初期ブルジョアのあいまいさと貧困さはすこぶる特徴的である。独占段階に入った日本ブルジョアは短歌・俳句のほかに、片手に流行歌を、片手に現代詩を抱えこんで、一度も強い疎外にたけだけしい反抗をしたことのない事実から発生する詩的想像力の空疎さを補ってきたのだが、いまではラジオやテレビのコマーシャル・ソングに見るように、歌を一種の生産手段と化しつつある。

これに対して、疎外との闘いそれ自身を主題とする詩運動やうたごえ運動は、一九六〇年に死滅したといってよい。それは何も安保闘争を鼓舞できなかったとか、うまく歌えなかったということではない。その時点に象徴される今日的な段階の基調となっている音響に対して、人々の内的リズムが追いついていないということである。

それは政治的前衛の不在という事実よりもさらに深層に横たわる重大な課題であるように思われる。一口にいって、私たちはまだ重工業における機械的生産のリズムを内面からとらえるだけの筋肉反応、行動の旋律をもっていない。それに対応しているのは小児的なオノマトペ（擬声語）にすぎない。

そこを吹きぬければ近代的大産業プロレタリアートにはじめて禁じられた詩としての歌がはじまるであろうが、そのためには私たちはほとんど機械的ともいえる実験を二重構造の裂け目に沿ってつづけるよりほかはないものと覚悟している。

（一九六〇年一二月五日「日本読書新聞」）

底辺ブームと典型の不可視性

九月一一日、福岡市東中州の喫茶店エスキモーで上野英信『追われゆく坑夫たち』の出版記念会がひらかれた。集まる者約二十五名。その日、話題となったことがらに触れながらいくらかの問題を提起してみたい。

現在、一種の「底辺ブーム」とでもいうべきものがある。これは戦後相当に長くつづいているブームの一つであろう。そこには変革運動の欠陥や敗北と重なりあった大衆の要求のスタイルがある。したがって、この現象はそろそろなんらかの総括を必要としているように考えられる。

この底辺ものの戦後の系譜はどうなっているか。敗戦直後に流行したバクロものがその前段階であったといえるのではあるまいか。はじめに支配階級が隠蔽していた恥部を白日のもとにさらけだす、いわゆる「真相はこうだ」という形式は、しだいに過去から現実の方へ、権力上層から中下層へと移ってくる。そして「暁に祈る」「アナタハンの女王」といった大衆の経験が多くの大衆の異常経験をふまえて、さらにその域をはるかに越えたものとして提出される。

だがそれはまだいやがうえにも例外的な経験をエクセントリックにとりだすことでしかない。例外性と日常性がまじりあってくると、「日本の貞操」といった形で、事実の提出による抗議がはじまる。けれども、それはむしろ反体制運動の主張を裏づけるデータとして考えられている。いわば大衆は自分で自分をルポルタージュするのだが、そこにおける抗議は「だれが彼女をそうさせたか」の彼女が私におき変えられているだけである。

大衆が自分自身の責任においてその意味をとりだそうとするとき、はからずもそれが反体制運動の客観的な内部批判になるような形で結晶することがある。「山びこ学校」から「母の歴史」などにつづく綴方運動にはそのような意味があった。「荷車の歌」などもその中にふくめてよいだろう。しかし、このばあいも自分自身を異質の外部との関連において位置づけるという操作はほとんどなされていない。そのゆえにこのようなスタイルは、自己の存在における疎外の深さと意識性の強さが中途半端にまじりあっている中間階層の表現に終りやすい。

そこで再び経験の異常さが強調される。しかし、今度は敗戦直後とちがって持続的・日常的な疎外がとりあげられる。それは再生した戦後資本主義がますます日本の二重構造を危機的に拡大せざるをえない不均等的発展と、その不均等性をつらぬく論理を発見しえない反体制側の不毛なテーゼあるいはテーゼの喪失に見合っている。「つづり方兄妹」「にあんちゃん」などが主として子供の世界から衝撃しはじめる。同時に民俗学の再認識が流行する。尖底土器のように下へするどくとがった疎外部分に一つの立体感を与えるものとして、異常体験の記録プラス民俗学という交叉の中から、日本残酷物語が生みだされる。他方では異常体験を階級闘争に同情的なヒューマニズムとの交叉からとらえる試み、たとえば「筑豊の子供たち」「日本の底辺」その他が登場する。

だが、そこにはまだ思考の規範と見あうような典型化された形象はない。いわば半典型とでもいうべきものしかない。どんなに異常な体験も、深刻な事実も、それがそのままであるかぎり何の意味をも持たないという徹底した懐疑によって試されて、なおかつそれが一個の形象として自立しうるばあいにのみ、それは典型としての資格をもつ。換言すればそれは眼に見えるような形をとった思想そのものなのである。

このような観点からして、「追われゆく坑夫たち」はどうであるか。出版記念会の席上では、それほど突っこんだ議論の展開もなかったが、まずこのような形象化はなんらかの直流的な伝達の可能性を信じないことによってのみ可能であること、その意味で作者と坑夫たちとの関係がすこぶるあいまいであること、私小説風に著者が登場するときだけリアリティがいくらか濃くなること、最初の部分から中間部、後半部への展開に乏しいこと、読者への機能として傍観的ヒューマニズムに終る危険があることなどが指摘された。

これらの批判はそれぞれ当っているといえるだろう。だが私は、まず何よりも坑夫たちを描くことは坑夫の哲学を描き、かつ批判することでなければならないと信じる。意識せざる哲学者としての中小失業坑夫とはいかなるものであるか。それがつきつめられなければ、「底辺ブーム」と絶縁し、これを止揚することができない。なぜなら、本来ならばそれは日本革命の戦術論（戦略論ではない）を充塡するものであるべき部分だからである。それの欠如のゆえに、敵の攻撃と味方の内部批判が半分ずつムード的に干渉しあっている領域が現在の底辺ブームなのだ。底辺ものがしばしば映画化され、企業的にも或る程度成功するのは理由のないことではない。したがって、野間宏の書評のように、著者が坑夫の生態を知るために自ら進んで坑内労働をしたというような、事実に対するムード的誤認から軽々とした批評を加えるのは、労働に対する侮辱でしかない。ひとりの学生出身者が好奇心とはいわなくとも、知的な関心から坑内労働をするというようなことは、単にそれが苛酷な労働だからというだけでなく、哲学それ自身としてばかげている。マルクスが三日ぐらいは土方をしたことがあるとでもいうのか。

著者の問題は、むしろ坑内労働をしたことがイデオローグとして自立しようとする際のマイナスになっている点を意識しすぎる点にある。人間がはじめて炭鉱にさまよい入る自然発生的な曲折はだれにもあることという理由からではない。貧農漁民とインテリゲンチャの過程はおのずから異る自然発生性がある。坑夫をやめるときも同様である。そして彼はこの過程をはっきりと区分することがむずかしい存在の条件をもっていた。そこに異質のものの干渉しあう場があり、彼の生産性を形成する挺子の支点がある。だが彼は理性の分裂にひたすら耐えるのではなく、情念による再統一を求める。そこでインテリジェンスによるインテリジェンスとの闘いが放棄される。彼の非インテリジェンスが反インテリジェンスに化すまで闘いをやめないというような強さをもたないのは、やはりインテリゲンチャの階層的な弱さにほかならないのであって、彼がそれほど労働者であるからではない。

だが同時に、彼はそのインテリジェンスの故に、中小坑夫がおのれの労働を原罪と考えている状況を発見する。それは労働を交換価値の面からだけしか見ない資本の論理に対する抗議となるとともに、価値の止揚を追究せず、価値の奪還だけを重視している反体制の論理傾向に対する批判となる。私はそれをマルクス経済学のデカルト的解釈、すなわち概念の顕在的側面の固定化、潜在的側面のきりすてに対する反抗として高く評価する。労働者であるがゆえに人間ではないかのような存在と化した労働者、つまり非人間であるがゆえに人間の陰画であり、そのゆえにマイナスの符号をもつ労働者の原像であるような人間を状況として提出しようとしたことは、日本の労働者像の立体化のために一つの貢献である。

けれども、それはまだ状況であって典型ではない。典型として凝縮した結晶とその運動がない。典型というものはそもそも可視的には実在しないのだから、微視的な実在を描くことによって架空の存在に迫るよりほかないのだが、そこに架空な存在が架空なままに確乎としてうち樹てられていない。それを眼にみえぬ形でふりかざしつつ在るところの中小坑夫に向って、これではない、これではないと追いすがり切り伏せていくところがないのだ。したがって実在の坑夫に理念の架空性の重みを背負わせねばならなくなり、必然に彼の主観的な深読みに終ってしまうのである。

せっかく一度、思想の範型として追いつめられようとしたイメージが実体と縁を切ることができないために、マイナスの労働者像が形而上化され、聖化されてしまっている。そうなると、現実の失業坑夫もその半身像をつねに固定化させられることになり、立体感を失う。思考の回転はそこで停止し、哲学は美学に道をゆずる。重苦しい形容詞の重複がつづくにしたがって、イメージは稀薄になっていく。肌で触れなければというあせりが強くなる。触れるのは大切であろう。しかし何と何が触れあっているのかが、それにもまして重要である。それを強烈に意識しなければ、ついにプルーストからはじまったといわれる心理主義を超える現代性は獲得されないばかりか、その心理主義はしだいに貧血して中世の宗教画に似た世界へ後退していく。

「せんぷりせんじ」から「ひとくわぼり」へ進んだとき、彼のなかには狂暴な意志のはらむ色彩の豊富さが誕生していた。それが労働者世界を再び対象としていったときには、単色となり、単性化したのはなぜであるか。それは彼の思考パターンにある即自的な指向と労働者階級の即自的指向とが似ているようでちがい、ちがうようで似ているからである。その地点で自分の感覚の系譜をはっきりさせ、それを止揚する計画性をもつことなしには、彼の今後の仕事は展開させられないであろう。なぜなら、疎外とはすでに人間の二重化の問題であり、労働による労働の疎外をつきとめていくためには、この二重化のポイントをみつめるよりほかにないからである。

状況を典型と切り離してつなぎ直すことによってはじめて、状況は見えない典型へ肉薄していく。典型が可視的であるという俗流リアリズム論をうちやぶることこそが、労働者の創造性を今日の不毛から救いだす唯一の道である。問題は労働者の労働観にふくまれる形而上学と闘うことをはじめから覚悟するかどうかにある。

（附記）底辺という言葉は、官僚的なピラミッド型意識による頂点——底辺という図式を必然に誘発するので私はまちがった用語法だと思う。

（一九六〇年一〇月号「サークル村」）

日本の二重構造

1　日本文明の刻印としての二重構造

おそらく日本人ほど、自分自身の住んでいる国について知りたがっている国民はない。この狭い社会にどんな秘密が残っているというのか。この過剰な一種のナルシシズムはどこからくるのか。資本の市場形成過程が民族なり国家なりの意識を強めていく段階ではどこの国にも起る現象だが、西欧諸国、ロシア、中国またはアメリカでは、それなりの形而上学が固有の刻印をもって登場し、やがて崩壊していった。日本でそれに対応するのは、天皇制イデオロギーしかない、すなわち哲学としては無だということがいわれる。さらにさかのぼって、日本にはそもそも古代から思考の機軸がない、背骨がないとされる。そして哲学にかわるものとしての美学の強調とか、あるいは外来的なものの受容のしかたに固有さを認める主張とか、さまざまな日本文明論がくりひろげられる。他方では、日本の肯定、否定にかかわらず、そのような規模で問題を考えることの不毛さが指摘される。一つの文明に対する純粋主義がくずれたのは戦後の特徴であるが、同時にそこから思考の範型をとりだそうとする努力も放置された。いぜんとして私たちは前形而上学の段階をさまよっており、その液状の混沌のなかで「日本は、日本は」という言葉がひしめきあっている。いずれにせよ、この日本というしろものに決着をつけるのは物質的な認識でなければならないが、さりとて現状分析をいくら繰りかえしても、たとえば大方の国家独占資本主義論のなかからは、この前形而上性が倒錯した形で発見されるにすぎない。そこではすべてが資本に固有な運動法則から史的過程を遡行して説明される危険がある。けれども、あんがいそうでないかもしれないのだ。もうすこし時間の尺度を長くとって考えれば、日本の独占資本もついにその古代の柵を越えていないという一面が存在しないとも限らない。そこに日本文明論を考える意味がある。

ところで、日本文明を相当に長い時間の尺度から見ようとするとき、どのような物質的な指標を設定したらよいだろうか。これまで熱烈に論じられてきた日本論の九分九厘までが外来的なものと内在的なものの対比の上に成立していた。舶来と国粋という対照は、「和魂漢才」の昔から攘夷・開国論を経て、いわゆる転向の論理にまで貫徹しており、さきごろの安保闘争においてもはげしく噴出した。だが純然たる舶来または国粋というものが一つの歴史社会に存在するはずはなく、そのような定式による葛藤はなにがしか偽装された意識によって支えられていることを見抜いたのは、むしろ外国人たちであった。それはいわゆる「たてまえ」と「本音」の対比として指摘される。外来的なものはあくまで外の契機であり、それが内に侵入してどうなるのか。そこで起る対立をたてまえ・本音としてとらえるのは、問題を一歩内側へはいりこませたものといえる。しかしここで純然たるたてまえ・本音がはたして存在するかといえば、日本人の実感は否と答えてしまう。たてまえの姿をした本音、本音の形をとったたてまえがあまりにも多すぎるのである。ただ意識の偽装のしかたに精神の本質を見るという点で、日本社会がすぐれたサンプルであるとする見地には納得できるものがある。そこから意識の二重性という命題がひきだされる。

意識の二重性と前形而上性がからみあっている状態——それをまず日本的状況とでもしておこう。もともと日本という国名からしてそうなのである。だれがこの太陽の根拠地といわんばかりの派手な名前を発明したのかはしらないが、いずれ太陽への原始的信仰のまわりで天照大神と大日如来をくっつけたりした修験道の山伏どもが喜びそうなエキゾティシズムであったことにまちがいはない。当時の知識人からしてすでにこの名前を発音するとき、のどの奥の方では「ケェッ」と言いたくなる気持をおしかくしていたらしいことは、たとえば北畠親房の『神皇正統記』の書き出しが「やまとは神のくに」などとはいわずに「大日本は神国なり」と漢文脈で開き直っていることからも容易に察せられる。二重意識とは言葉を変えれば帰属感の分裂であるとともにそのあいまいさである。それがほかならぬ日本そのものと向きあったとき、日本に属していて属していないか、あるいは日本に属していないが属しているという半所属または二重所属の心情が生まれる。さらにこの動揺を意識的、無意識的に静めようとすれば、かえって激情的に一つのルートを固定して、ますます偽装性を大きくしてしまう危険がある。

例を沖縄の日本復帰運動にとってみよう。沖縄人にとって、内地は「やまと」である。彼はやまとの人間ではないが、しかし日本人である。この「しかし」は沖縄人にとって納得のいく「しかし」ではない。むしろ彼が一番肯定しやすい接続法は、「そのゆえに」であろう。——私はやまと人ではない。だからこそ日本人である。沖縄の歴史をひもといたことのある者ならだれでも知っているように、沖縄が日本への帰属を確定して以来、彼等をもっとも圧迫したのは鹿児島県人であった。鹿児島県こそ内地の憎悪すべき尖端である。そこに憎悪を集中したばあい、かえってこの忌むべき尖端をふくむ全体としての列島社会への親和感が生まれる。自分たちはあの暴虐な鹿児島県人とは別のものである。だからやまと人ではない。だが、あの暴虐さは列島社会のすべてではない。むしろ、そのなかの異分子なのだ。鹿児島県を異分子と認める点で、自分たちはやまと人全体にひとしい。そして自分たちのなかに内閉されている宝石のような寛容さはやまと人の知らないものだ。だからこそ私たちはやまと人よりもはるかに大きな統一体を知っている者、日本人のなかの日本人だ。——そういう心持がまずアメリカの占領以前にあって、それを透してアメリカの圧制と薩藩以来の圧制とが重なりあい、歴史的な重みを形作っている。したがって日本復帰運動のなかに潜在する反鹿児島の契機を無視すれば、やまととの無葛藤的な結合を求めているのだという誤認が生まれるばかりでなく、かつて内地と無葛藤の結合をみずからに許していた島の支配層がいまアメリカとそうである事実を、歴史の媒介ぬきに攻撃するだけに終ってしまうのである。沖縄の日本復帰運動の弱さは、まさにこの「日本」という言葉の内容が沖縄と内地の間でとりかわされる場合、あきらかな誤訳があるという事実を沖縄人の方だけが気づいていて、しかもその訂正を求めていないというところにある。

だがそのようなことはあながち珍しいことではない。沖縄からすこし北上した奄美群島では、生活のあらゆる面で薩南文化と沖縄文化の干渉を受けている。しかも薩藩の暴政はこの地点でもっともはげしかったから、反鹿児島ということでは沖縄にまさるとも劣らない。だが同時に沖縄との間にも微妙な緊張があって、南への軽侮の念は強い。だからこの地帯の住民は沖縄にも鹿児島にも移住することを好まない。一直線に阪神をめざし、そこにある町内ことごとく島出身というような部落を作っている。このばあいも生活実体としての帰属のあいまいさが、かえって中央指向性を強めているのである。

奄美群島と鹿児島の中間に位するトカラ列島でも、同じ位相が保たれる。行政区分の上で奄美と同居したくないという欲望と鹿児島への劣等感にはさまれて、そこでは平家伝説が精神の支柱となる。しかも、奄美でもトカラでも本土は「内地」なのである。いずれも鹿児島県に属しているのにおかしいではないかという行政的疑問だけでなく、このばあい九州がはたして内地かどうかという疑問がわく。意識性の強くない島人のことだけに、話を聞いていても、それが本土だけを指すのか九州をもふくめるかはっきりしないが、いずれにせよ内地とは自分たちの島の世界と異る北の世界のことである。そして鹿児島においても自分たちの地方とトータルな日本社会との間には明瞭な区分線があるという意識はまだ強烈である。それは単に区分されているだけではない、その区分を媒介にして偽装的な統一感が造出される。日本のナショナリズムといわれるものの特性は、この半所属から二重所属の契機を飛躍して一挙に或る統一体へ帰属しようとする心情の運動と切りはなすことはできない。

つまり上層部分は二重所属、下層部分は半所属という意識の対比が、日本の社会を横に切っていると見ることができる。したがって上層部分の求めるものはつねに帰属の単一化としての純粋主義であり、下層部分の求めるのは帰属を全面化するトータリズムである。この両側から求められていくパイプがたまたまつながったと感じられたとき、エネルギーの一時的な奔騰がみられる。だが重複する帰属をけずりおとそうとする運動と、欠如している環を完結させようとする運動とは、帰属感そのものに対する前提がちがっているのであって、それが結合したと感じられれば感じられるほどその偽装された一体感のなかの矛盾はするどい背理によって成立せざるをえない。この意味で日本文明を最初から一体的なものと設定する考え方は、この意識の二重性が異るスタイルをとって上層と下層に存在し運動していく過程につきあたると、はてしなく混乱し、あげくのはては凡庸な単純化におちついてしまうのである。

たとえばここに太平洋戦争の性格規定に関する問題がある。竹内好によれば、それは植民地侵略戦争プラス対帝国主義戦争であり、そのような二重構造をもった総力戦であった。（『近代日本思想史講座』第七巻所収「近代の超克」）彼のいおうとするところを深読みすれば、次のようになるであろう。――国民がむしろ自発的に総力戦をたたかっているとき、その地点から超越して反戦平和というスタイルの反帝国主義を説いても、血肉化した思想を得ることはできない。戦争を遂行しつつある民衆の立場をくぐって、この戦争の二重構造を腑分けし、クサビをうちこんで、戦争の性格を変えなければならない。つまり太平洋戦争をアジア的規模での民族解放・反帝戦争に転化することが重要だったのであって、戦争をやめろということがスローガンになるべきではなかった。逆の方向をもつ戦争思想が必要だったのだ。たとえ、それが現実に追いつき追いこす有効性をもたなかったとしても、それは民衆の思想方向と重なりあって総力戦の論理をつくりかえる思想的勝利のための唯一の道であった。

私には彼のかなり曲折した議論がこういうふうに読みとられるのだが、そうだとすればこの意見はこれまでの太平洋戦争をめぐる論議に一歩を進めたものだと思う。それはなお太平洋戦争のなかにあった傍観や軽蔑の要素がもつ一定の積極的意味を過小評価しているきらいがないではないが、均質に一体化された太平洋戦争というコンヴェンションに向って、その二重性を反帝・民族解放の線に沿ってはじめて対置したものといえよう。だがこの見解には同時に危険もある。それはこの戦争が一種の二重戦争として機能している理由を、二重性の発生過程にしたがって説明していないことである。いったいどこでどのようにしてこの二重性は生まれたのか。その理由が受けとりようによっては、後進国の支配階級が帝国主義的に「自立」しようとする意欲に求められているようにみえる。「復古と維新、尊王と攘夷、鎖国と開国、国粋と文明開化、東洋と西洋という伝統の基本軸における対抗関係」が「日本近代史のアポリア（難関）」とされ、それが凝縮して爆発したのが「近代の超克」論議であり、それが「公の戦争思想の解説版たるに止まってしまった」のは、「戦争の二重性格が腑分けされなかった」ために、そこから伝統的なアポリアにさかのぼっていくことなしに、「せっかくのアポリア」が「雲散霧消」してしまったことにあるとされる。だがはたして日本近代史の解明に必要なカギ穴としてのアポリアは右にあげられたような対比なり矛盾なりなのであろうか。このような「内」と「外」との綿々たる対比においてものを考える態度こそ、カギ穴をカギ穴たらしめないゆえんではなかろうか。この対比を別の形に組み変え、「内」と「内」の対立としてつかまえることが必要であり、そのために戦争の二重性格を問題にしたのではなかったか。であるならば、被圧迫民族と手を携えて西欧帝国主義を駆逐するという汎アジア的規模でのインターナショナリズムを、自国の社会革命と結びついた積極的な計画として大胆に提出することのできなかった戦前の左翼の内閉性を指摘するために——この二重性にふくまれる階級的意味をあきらかにすべきである。そうでないかぎり、この見解はまたぞろ「内」と「外」の対比論に逆もどりしていくばかりでなく、西欧帝国主義に敵対する帝国主義戦争という側面を五分五分の責任であるから責任ゼロとみなす無責任の論理へとみちびいてしまう。その原因は二重性を植民地侵略戦争と対帝国主義戦争という単に機能的な側面にとどめ、かかる分裂をもたらす自国内の構造と関連せしめていないからである。

すなわち太平洋戦争の理念的二重性は、日本社会の構造的二重性の反映であったのだ。帝国主義がすでに植民地を分割し終っている段階において、植民地再分割の要求をもってはじまる帝国主義戦争は、当然に手近な植民地または半植民地への侵略戦争と対帝国主義戦争の両契機を同時にはらむ。その点、太平洋戦争のばあいもなんの不思議もないことだ。問題はイデオロギーと存在の結合関係である。戦争理念として見るとき、植民地侵略戦争のそれは植民地解放であり、対帝国主義のそれは自立自衛である。この二つのスローガンは自分の国が植民地でないかぎり、本来的に矛盾しあう性質のものである。それが媒介なしに結合されているところに太平洋戦争理念の破綻があるのだが、この破綻には微妙な倒錯がある。前述した二重所属と半所属の対比という点からいえば、自立を求めたのは二重所属感をきりすてようとする上層部分であり、その部分が当然もっている危機感は下層部分には空襲で都市が灰燼に帰しても伝達されなかった。生活の危機感はあっても、国家の自立の危機感はまるごとの滅亡という非現実的な観念によって、逆に楽観的な形で妨げられていた。これに対して植民地解放のスローガンを強く受けとめたのは、日本のなかの非日本である自分たちの半所属感をまるごとの所属感へ完結させたいという下層部分であった。つまり、この部分にとって植民地解放とは、よその土地を解放することではなく、自分のなかの植民地的部分をより全面的な従属という方法で「解放」することであった。そのためには南西諸島の人々が本土へ接近すべく南への侮蔑をつくりだすように、自分の足下にひざまずく別の植民地が必要であった。植民地解放という理念に魅せられながら、植民地侵略をはげしく求めていく日本民衆の逆説は、かかる社会構造の二重性からしか説明することができない。それはまた好戦的であると和解的であるとを問わず自立の危機におののいているのは上層部分であり、侵略への積極性で割り切れているのは下層部分であるという逆説の根拠でもある。

それはあたかも大企業のなかの本工と下請工の関係に似ている。大企業相互の、そして大企業と小企業間の矛盾を二重に映しだす装置のなかでは、しばしば資本対賃労働の矛盾が資本相互の矛盾というスタイルで対話する。この無意識の偽装をほどこされた対話は、もとより資本対賃労働の矛盾そのものでもなく、資本相互の矛盾そのものでもなく、異様に屈折した光を透す統一体である。したがってこの統一するはずのないものが統一しているひずみを、最初から分解された観念で説明しても、それは説明にすぎないであろう。しかしながら統一感の存在という点からいえば、日清・日露戦争の当時が太平洋戦争にくらべてはるかに積極的であったろう。国家権力と下層部分との間がさほど密接しておらず、断層のもつ求心性が強くないときにむしろ下部は自由な形で統一感を抱くが、総力戦はこの断層を狭く深いものにして、二重構造を意識しやすくする。つまり日本の社会構造における二重性は、資本の運動によって二つの構造間の空間的距離をせばめはするが、その断絶の深さはますますきびしくなっていくということが、前代の戦争と太平洋戦争の統一感の比較からみちびきだされるはずである。

資本の優位、独占の制覇が二重構造を解体していくという考え方は、日本の進歩派をつねに迷わせるつまずきの石である。だが明治以来の歴史はどのような暴力も、総力戦すらもそれを解体するどころか、ますます強化したにすぎないことを証明している。一見、解体と見えるのはまるでスピロヘータのようにそれがより本然の対立である資本と賃労働の対比に再編されつつ社会構造の中枢部に侵入したことを意味する。現代日本資本主義の二重構造についてはどんな経済学者でも言及する。だが、それはいうまでもなく単なる資本と賃労働の分裂の表現でもなければ、資本が恣意的に選びとった支配方式でもない。それは一面でまさにかくあるよりほかないものとして資本におしつけられているのである。それは物質的な社会構成の制度としてだけでなく、歴史的な意識形態をふくむ文明のトータルな様式として眼前にある。

したがって、もし日本文明を相当の長い経過において包括しようとするならば、必然に日本社会の二重構造の歴史的根源とその動態を基礎とし、その上にくりひろげられるさまざまな意識の倒錯を追求するよりほかはない。二重構造こそは、古代から現代までをつらぬく日本文明の大前提であり、そのプラスとマイナスはあげてこの二重性の固有な展開法のうちにふくまれている。今日まであらわれたどのような日本文明論も、いや、すべてのイデオローグもまだこの二重構造の秘密を原則的に解ききっていない点で、いぜんとして二重構造そのものの呪縛のうちにある。

2　日本型二重構造の特殊性

太平洋戦争の二重性格は日本資本主義の二重構造の集中的反映であり、その二重構造はたまたま資本が選んだ二者択一ではなく、日本資本主義の成立それ自身がその道を通ることなくしては不可能であったところの、資本主義の様式を規定する決定因であった。したがってそれは日本資本主義の強さと弱味を同時に集約させている側面であるばかりでなく、列島社会のトータルな文明を支配している、ほとんど唯一のスタイルである。

日本資本主義がその運動過程から深刻かつ広範な二重構造を生みだした事実を説明しようとするにあたって、一つの常識とされるのはその「早激的・跛行的発展」であり、その原因は本源的蓄積の未熟さという内的条件と資本主義の世界史的発展過程との間にあった落差に結びつけられるのが普通である。竹内好が日本近代史の「アポリア」とよんだ「復古と維新、尊王と攘夷、鎖国と開国、国粋と文明開化、東洋と西洋という伝統の基本軸における対抗関係」という問題軸設定のしかたもこの認識に対応するものである。もちろん、この内と外との落差は否定すべくもないが、しかしそれだけが二重構造の発生因であるのか。それとも、この落差を落差のままで受けいれる本来的な二重性が前提にあって、そのゆえにこそ「早激的・跛行的発展」が可能となったのではないか。

ここで経済史的分析を行うのは私の能力に余ることだが、マルクスのいわゆる「包括的統一体」とその現実的基礎である「小共同体」との断層をもった結合は、日本の前近代社会の末期においてもアジア的様式の刻印をはっきりと記している。本源的蓄積はこの構造のどの部分に集中していたか。それはこの型の社会がつねにそうであるように、二重構造の接合部――上層部分の下層と下層部分の上層に変革の契機をもっていた。したがって中間層の主導による変革の不徹底性は自明のことであるとともに、本来それは二重性の再生産となって終るべく運命づけられていた。すなわち、黒船が来ないままで自生的に日本が資本主義の段階にはいりこんだばあいを仮定しても、それはやはり二重構造の資本主義であったにちがいない。なるほど小共同体は解体し、包括的統一体もより近代的な国家として再編される。しかし、本源的蓄積がすでに二重構造を基礎に発生しており、その成長過程で急速に自分自身を二重のものとして構成しつつあったのである。黒船による外からの衝撃は、個々の資本の制覇や没落をはやめ、本源的蓄積段階でなお未熟である総資本の二重の二重性となってその遺伝質を強烈に開化させたにすぎない。

この絶えず進行する二重化現象の総体——二重性の複雑な交錯がアトランダムに発展し、その結果として二重性そのものが見失なわれるか、または二重性の基底が蔽われてしまうまでに強力かつあいまいな偽装的統一が出現するという事態が日本である。いわば聖徳太子から転向理論にいたる、かの一貫した調和の美学と倫理、その帰結としての排他性は、この錯雑した二重性の解明に目をつむりつむらせようとする無意識の強制に屈服することにほかならない。しかも、それこそは日本型共同体をアジア型共同体の一変種として中国やインドのそれと区分する現象である。

マルクスはアジア的土地形態を「小共同体が独立的にならびあって、細々ながら生活し、またその共同体そのものの内部においては、個々人が彼に割りあてられた分有地で、その家族とともに独立の労働をする」ケースと、「統一体が、労働そのものにおける共同にまで及ぶ」ケースとに分けている。前者の例としてはスラヴ的共同体、ルーマニア的共同体が、後者の例にはメキシコとくにペルー、古代ケルト人、若干のインド諸種族があげられているが、日本のばあいはそのいずれにあてはまるであろうか。この区分は、個人(家族)と小共同体の独立性を目安にしているのだから、その線に沿って考えてみたい。

考古学者、言語学者、民俗学者などがいずれも指摘しているように、日本の前近代社会にはいわゆる「東日本」と「西日本」との間に深い断層が走っている。それはだいたい石川、岐阜、愛知の三県をつらねて中部地方の西部を南北に横断しているラインであるが、それは根本的にいって共同体の構成法が異っていることにもとづいている。小共同体内部における個人(家族)の独立性という点からいえば、あきらかに西日本の側に分化がはげしい。だが小共同体を包括する統一原理の進展という点から見ると、東日本の側により強い小共同体の孤立現象があり、歴史は西日本に発生した文明の東漸という形で進行する。

もとよりそれは、生産力の低い東へ移ってゆく稲作文化の拡大過程であるが、大河の流域に成長したアジア大陸の巨大な専制国家にくらべれば、西日本のそれといえども島の短い水系にさえぎられて、アジア型共同体のミニアチュアとならざるをえない。したがって小共同体、またはいくつかの小共同体の小規模な連合がもっとも現実的で強制力の強い集団となる。このような小共同体またはその現実的連合が分水嶺から海にいたる小地域を占取して自活しうる条件からすれば、あたかも西日本の共同体はスラヴ的共同体などのケースでマルクスがあげた小共同体とその内部の個人(家族)の部分的独立性に一致する。しかし、この独立性はきわめて近接した他の自立的単位との境界関係において破られざるをえない。ここから包括的統一体への指向が生まれる。そして自然条件の多様さに対応する自立単位のヴァラエティが流通規模の拡大につれて、つぎつぎに異る統一体間の異る連合方法をうながす。つまり西日本型共同体の特徴は小規模の統一体が重層的であるばかりでなく多系的に成長していく過程である。それは大陸における巨大な包括的統一体の単系的発展といちじるしく相違しており、互いに異るいくつかの系が——マルクスがアジア型共同体の特徴の一つとして「都市と農村との一種の無差別の統一」とよんでいるものをさらに複合して——互いの系のなかにのめりこみ、異る統一体同士の「無差別の統一」を構成する。その原因は自己完結的な「環節社会」がそれ自身としては拡大することのできない狭い空間から、海上交通を主としてその特殊性を交換しあうときに起る、いわば海の壁からの反射現象でもある。

西日本型共同体は小共同体または小規模の小共同体連合の線で強力な現実の基本単位を構成しているから、個人（家族）への分化傾向をふくみつつも、それよりも急速に統一体相互間の無差別の統一を多系的に発展させる。そこにこの型の共同体の「侵略的性格」があり、しだいに東日本型の共同体をのみこんで包括の範囲をひろげるとともに、新しい二重性——西日本型と東日本型の統一——を作りあげていくのであるが、これに対する東日本型の共同体は生産性の低さと稲作の不能という条件によって、小共同体内部における個人（家族）の独立性が阻まれ、共同体の首長に全面的に隷属する名子制度を生みだすと同時に、上方に向っても小共同体の連合を発展させて中間的統一体を生みだす力が弱く、多系的というよりは上級の統一体に対する単系的帰属に傾く。マルクスは「この種族制度内での共同性は、統一体が種族的家族の一人の首長によって代表されるものとしてか、あるいは、家父長相互の関係としてか、このいずれかの形であらわれることが多い。そのいずれのあらわれ方によるかにしたがって、この共同体の形態は、より専制的であったり、民主的であったりする」といっているが、日本のばあい、全国を制覇した西日本型共同体にもとづく統一方式は、おのれの型に属する共同体相互間では単一者の支配ではなくて、家父長相互の連合という形式をとりながら、異質の共同体に対しては単一者による支配の形式をとるというふうに使い分けた。したがって東日本型の共同体に対しては、西日本型の上にそびえたつ単一者の支配という相貌をもって臨んだ。このミニアチュアの一例として、肥前松浦郡を支配していた松浦党の名をあげることができる。松浦党はおのが内部ではそれぞれの苗字をもつ氏の連合であったが、外部に向ってはいずれも松浦党として単一の名称を用いた。ここに、たとえば八紘《あめのした》を蔽って一宇《いえ》となすがごとき、民主的論理と征服の論理をすりかえることのできる交換装置の基本形態がある。それはまた、一つの有力な系に所属することと、この系のなかの下層部分に位置することとを混同させるような——所有の観念と所属の観念が一体となってしまう錯覚の発生源でもある。

二重化現象の視角からみれば、二重化の多系的発展による無論理の統一（西日本）が比較的に単純な二重構造社会（東日本）を蚕食していく過程が、日本の前近代史である。したがって、日本文明はこの二つの型に対応する異るエスプリの対立または複合としてあらわれる。西方の、振幅に富んではいるが首尾一貫しない「優美な」弁証法は、その場その場に対処して操作することのできる支配の論理をみがき、東方の、収斂性の強い「粗野な」マテリアリズムがその対照をなす。そして封建武士団の擡頭がこの両者を攪拌し、新しい統一形式を生みだすのであるが、その過程においても、対立葛藤は単なる上下関係としてだけでなく、支配体制そのものの二重化、すなわち一種の二重体制として現象する。たとえば王権と院政、国司と守護地頭、源氏と平氏、将軍と執政、幕府と宮廷というようなさまざまな対比が、最初は強く対立するが、しだいに相手の系のなかにはまりこみあって、併立状況をかもしだす。それはすでに古代社会において、首長と巫女、表《おもて》神と内《うち》神、大和と出雲、神社と寺院、顕教と密教といった対比が相互に補完しあって一つの体系をなしていた事情をさらにおしすすめたものである。

この対立する側面と相補的な側面とをもつ二つの半球が合体し、ある程度のバランスを保つことができたとき、はじめて体制が安定するという信仰は日本の支配階級に根強い位置を占めている。葛藤はいかにして相手方を擬制化し、形骸化するかというそれ自身様式的な姿をとり、相手の抹殺、絶滅にまではなかなか進展しない。かろうじて東国型のリアリズムが共同体の二重性の単純さに支えられて、西国型よりも強い排除性をもつが、そのゆえにまた東は西を文化の優越という方法で最終的に支配を完成することができない。したがって、一つの体制が危機に達したとき、これを救いだすための方策として考えつかれるのはつねに、かつて自分が形骸化し、封鎖しておいた敵対的な系をひっぱりだしておのが支柱とするか、あるいは外界から訪れてくる新しい支柱を発見するかのいずれかである。復古と維新が同じ基盤から唱えられる理由はそこにあり、公武合体論は尊王攘夷論を誘発し、尊王攘夷論は倒幕開国論を吸引する。

日本の前近代史は、くりかえし再編成されてやまない二重体制による二重構造支配の歴史である。その原因は大陸型の巨大な水系社会のミニアチュアがきわめて近接した距離に櫛比し、多角的な関係を形づくらざるをえない事情にあることは前に述べた。そのゆえに包括的統一体の基礎はつねに不安定であり、統一と集合との間をゆききする。だが他方では、まさにその同じ理由によって包括的統一体を民主的な偽装のもとに置くことが容易となる。「アジア的形態は、必然的に、もっとも頑強に、またもっとも長く維持される」ことをマルクスも認めているが、二重化現象の複雑さという点で大陸のアジア型社会と区分される日本は、反抗するエネルギーを権力が直線的にかぶってしまわないように、多方向に散らしてしまう独特の緩衝装置を発明したことによって、権力の性格をなしくずしに擬制化された復古スタイルに後退させたり、または新しい状況に偽装的に順応させたりすることのできる不可思議な安定性、不安定の安定にたどりついた。

封建制度のなかに神授的要素を導入しようとした公武合体論から明治の立憲君主制確立にいたる間のイデオロギー的動揺は、どのような二重性をもった支配体制が深化しつつある二重構造の矛盾をつなぎとめるカスガイとして有効であるかという論戦であって、純粋一元的な構想はきわめてまれな例外でしかなかったし、国内を制覇するにもいたらなかった。結局、宮廷の神授的要素の延長としての天皇政府と、幕府の武力的要素の延長としての大元帥軍隊との合体物が明治権力の構成原理になったわけであるが、そのなかにはこの期間に奔騰したさまざまなイデオロギーの破片がことごとくちりばめられている。明治権力の「ボナパルティズム」についてはしばしば論及されているが、それはかならずしも近代的要素と前近代的要素の併存からのみ起ったものとは限らない。一定の発展段階につらぬかれている社会であっても、その社会が二重構造社会であることがありうるし、このばあい権力が社会構成を反映して自分自身の内部に二重性をふくみもつことはむしろ当然な話である。明治の元勲となった幕末の指導者たちも、おそらく彼等が最初に考えていたものはひっきょう近代的なスタイルをもった新しい封建制であったにちがいない。だがそれはいつのまにかなしくずしに封建的なスタイルをもった近代政治へと変容していった。明治権力の反動性はその進歩性のなかに十全に内包されていた。だがそれはすでに幕藩体制の二重性から生みおとされた私生児でしかない明治権力としてはどうすることもできない矛盾であった。

　この矛盾は薩州閥と長州閥、自由党と国権党、三井と三菱、海軍と陸軍といった、あらゆる分野における支配の二大系列化の様相をとっていく。それらはあいまいな霧のなかでほのかな近親感をもって手をとりあい、複雑な相互関係を結んでいくが、同時にいずれの分野にもそれぞれの二重構造が存在する。本来ならば社会を横断するヨコの亀裂として意識されるはずのものが、タテに走る複数の系列としてあらわれてくる。それは水系に沿って共同の利害をもつ農業社会のフォルムであり、これらの流れの本流であり、川のなかの川である天皇制、その源であり分水嶺である虚妄の頂点としての天皇が「天雲の雷の上」に鎮座する。したがって実体としての「天皇」は複数であり、水系社会のミニアチュアの数にひとしく存在する。すべての小さな支流のひとつひとつが「天皇」をもち、この支流の反対側には別な支流がありうるという相対性の絶対性、あるいは「天皇」が限られた部分では二個ずつ存在するという絶対性の相対性が意識の底深く潜っている。奇妙な例であるが、洋裁や洋髪が大衆世界を席巻していくばあい、ドレスメーカーと文化洋裁、山野愛子派と組合派といった二系列の対立的進行という形をとるのは偶然ではない。これは顕密二教をふくみ、東西両本願寺を貫通して、三井三菱にいたる特殊日本的な二重化過程の線上における一現象なのである。

3　二重構造の心情と論理

一般的な共同体意識とは何か。それは第一に労働の物的諸前提との自然的統一、すなわち人間と土地の未分離状態における一体的な自然観である。第二に自分もしくは他人を共有の化身として認めるか、または自立的な私有プラス共有を代表するものと認めるかによっていくらか異りはするが、いずれにしろそれぞれの人間が同時に一個の共有を代表しているという人間関係の認識である。第三に自分もしくは他人を労働する人間としてではなく、所有者として扱うことである。第四にその共同体の一構成員であるという認識である。

これらは共同体の発展段階によって変化するけれども、その底には資本主義的な所有の観念とはいちじるしく相違する形での所有観念がある。

「富とは、いわゆる自然《ナトウール》のみならず、人間自身の天性《ナトウール》もまたそれをもつ自然的諸力に対する人間の支配の完全な発展以外のなにものであろうか？　富とは、前もって与えられたいかなる尺度によってもはかられぬ、あらゆる人間的諸力そのものの発展を、つまり完全な形での発展を自己目的とするところの、歴史の先行した発展——この歴史の先行した発展のほかにはいかなる前提ももたぬ、人間の創造的天賦の絶対的創出以外のなにものであろうか？」（マルクス）という前提に立てば、「人間の内的本性のかかる完全な創出は、そのものの完全な排除としてあらわれ、またこれを全般的に対象化することは、それを全く疎外することとしてあらわれ」るようなブルジョア経済原理のもとでこそ、むしろこの所有観念は非人間的に倒錯しているということができる。

共同体意識は労働の結実ではなく労働の前提である自然条件としての土地その他に対する集団的所有の上に築かれているのであるから、単に所有の形態がちがうというだけでなく、所有の観念がそもそも異っている。そこに今日の時点から共同体意識を測ることの困難があるわけだが、個人は共同体の構成員であるがゆえに所有者であり、そうでない所有は、たとえ共同体内部で私有がありえても、それをふくめて成立しないので、そこにあっては所有とは一定の共同体への所属という言葉と同じ意味として受けとられている。

だが下級の小共同体と特殊な共同体を媒介とする包括的統一体との二重組織の特徴は、占有と所有の分裂にある。したがって、所有と所属の観念がほとんど同義である共同体意識がこの二重組織に対応するばあい、それは必然に占有体系への所属と所有体系への所属という所属観念の二重化と分裂を生みだす。小共同体との関連から確定されるのは占有権だけであって、統一体の保証なしに所有権を確保することはできない。と同時に、小共同体の保証をうることなしには、いかに統一体から裏づけられた所有権があっても、占有の事実を手に入れることはできない。ここからみちびきだされる権利の二重化、ひいては権力の二重化は、日本型共同体にみられる二重構造のより強度な細分化、重層化、多系列化現象につきあたるとき、およそ脈絡をたどりがたいまでの乱反射をくりかえして、ついに一つの静止した審美感とその人格化にたどりついていく。

いわば一本の巨樹のように系統性があきらかである大陸の水系社会は、統一体と小共同体との距離が大きくても、その関連のしかたはより直線的でつかみやすい。けれども癒着力の強い、近接した小水系社会の連合においては、統一体との距離はさほど大きくなくても、その論理的接続関係はより間接的でありより仮設的である。このような社会では、そこに流通する心情と論理におのずから特徴がある。

第一に所有と占有が分裂しているから、現実の占有だけでは不安がつきまとう。より強大な統一体にしっかりと抱きかかえられたいという希望が強いのだが、統一体そのものが不安定であり二重性を帯びているので、自分の意志が全面的に占取されればされるほど、かえって安定感をもつというマゾヒスティックな傾向がある。全面的な従属すなわち所属すなわち所有であるといった倒錯の図式が進行する。もっとも有力な系列に参加を許され、その帰属が永久化されることが願望の終着駅であるというのは、共同体の自己目的が自分自身の再生産と維持にあるという閉鎖性に見合っているが、統一体との脈絡のあいまいさはいっそうこの消極的な願望を倒錯した表現へかり立てずにはおかない。

第二に統一体の不安定性と二重性から、一つでも多くの、あるいは対立する二つの有力な系列に同時に所属することによって、占有の安定をはかろうとする努力が生まれる。全面的帰属への願望は、ここでは帰属の系列の拡大へ向けられる。そのために必要なのは一方に全面的に没入してしまわないように配慮しながら、半分だけ所属している二つの系列のバランスをとることであり、そのような所属のための技術である。第一のばあいにくらべて、これは統一体に距離的、階層的により接近した部分のテーゼとなる。

第三に小共同体から包括的統一体にいたる階梯のそれぞれに適応する理論と、全体をつらぬく論理が別々に作られる。小共同体の利害が統一体のそれと正確に一致したり、矛盾したりすれば、二つの論理は相関しあっていくけれども、日本のように両者がしばしば無縁なままに名分的強制を受ける社会では、論理の相関性が生まれない。したがってどの小共同体からも公平に疎隔している外来文化が公用の共通言語として利用される可能性が大きくなる。日本の支配層が外来文化にわりあい好意的なのは、彼等に排他性が少ないからではなく、その超越的な便利さにあるであろう。

第四に論理の相関性が欠如している二重構造の統一のために必須である超越的人格は、権力の動揺が深刻なときだけ、かろうじて行為的主体とみせかけられて新しい平衡関係をつくりだす機能を果すが、ふだんは権力そのものから区分された独自の場におかれる。したがってそれは権力そのものではないと同時に、権力以外の何ものでもない特殊な位置を占める。いわば権力から疎外された権力の結晶であって、そのゆえにそれはどのような性格の権力とも癒着して、権力自体の二重構造を形成する。天皇制がいわゆる絶対主義の段階に照応し、それ以外の段階には適応しないと考えるのはいささか早計であろう。国家独占資本主義の危機的な段階においても、明治天皇制とは内容を異にしながら、またも新たな天皇制として登場しないと断言することはできない。三二テーゼのいうごとく、天皇制とはなによりもまずメカニズムであるが、このメカニズムとは二重構造に関わる権力の存在様式であり、それ自身二重性をもった統一方法だからである。

第五番目の特徴として、この二重構造システムに対する頑固な保守性をあげる必要がある。日本の支配者たるものの資格は、はてしなく転位し分岐していく二重化現象という怪物に悩まないということである。彼は異る論理体系を操作して、二重構造をそのときの条件に適応さすべく再編成する能力をもちさえすればよい。それに失敗しないかぎり、彼は永久に支配グループの共同体的な構成員である。そのワクをはみだして、二重構造そのものを変質させ、解体し、または一元化しようとすることは最高の罪である。もとよりそんなことは容易にできないとタカをくくってはいるが、いささかでも可能性の芽がほのみえるということになれば、全力をあげて襲いかかるのが日本の支配層のおきてである。なぜなら二重構造こそは彼等の支配の前提であり外濠であるだけでなく、それなくしては彼等が生きることのできない存在様式だからである。

ところで、この状況に対する反抗者の論理の特徴がある。その論理もまた二重性をもっている。彼等のなかには、この「重層的な」「雑居性」を一刀両断したいという強い反撥と、無論理な統一に対する絶望的な宿命感とが同時に巣くっている。そのために一方では予定調和ともいうべきイデー、整然たる秩序、一枚岩の原理主義への崇拝があり、他方ではそれがついに理念に終らざるをえないという嘆きをこめた状況主義がある。前者は自分の二重戸籍を一元化したいという純粋主義であり、後者は帰属の完結を求める大衆のトータリズムへの屈服であるが、いずれにしてもこのような要求の発生する根は権力の中下層であって、それはつねに権力上層から孤立させられ、包囲され、なしくずしに変質させられてきた。その理由は彼等の求めている二重所属の一元化という命題が、大衆の求めている所属の全面化という命題と微妙にすれちがうからである。

問題は、この二重構造に対してそれを否定するどのような構造原理を対置するのかということである。一枚岩の原理主義は大状況の否定については有効であっても小状況には無効であるというばかりでなく、総体として二重構造のもつ観念弁証法的な側面を超えることができない。したがって素朴一元論的な思想方法がこの現実を批判しようとするとき、かならずその裏側に潜在的な二重構造をつくりあげ、やがてその意識下の天皇制によって復讐される。だが、二重構造に或る種の自覚的配慮をもつ者でも、それが終局的にあるべき位相を構想しえないかぎり、これまたつねに状況追随のサイクルからぬけでることができない。二重構造の自覚的運用に関するこれまでの論理技術はことごとく支配階級の思想である。それがたとえ民衆の愛用するものであっても、倒錯した支配の論理でしかない。そこでもしこのなかに民衆自身の哲学を発見しようとすれば、倒錯によって蔽われ、見えなくなっている部分を析出するよりほかにない。

ではそのような作業にとって、どのような態度が必要なのか。なによりもまず強調したいのはマルクス主義の非連続的な、代数的解釈の廃棄である。すなわちさまざまな概念の顕在的側面をのみ見て、その潜在的側面を見ないならば、マルクス主義の定式は非連続の連続という弁証法的な性格を失なってしまう。たとえばそれは、マルクス経済学の価値論に対する俗流的な解釈などに典型化されているが、交換価値のなかの非交換的または使用価値的要素や、使用価値のなかの交換的または交換価値的要素が資本主義のもとでも潜在的にあるいは逆説的に存在する事実をあっさりと切りすててしまうために、かえって一つの日常現象から価値の偽装性をあばきだし、その止揚を求める遠い目標を見失なわせてしまうことがざらにある。これは、日本のマルクス主義理論がアカデミックな啓蒙主義と結びついて展開してきたために起る当然の報いである。かかる定在的解釈学をぬぎすてないかぎり、きわめて巨視的な展望のなかでのみ可能な二重構造の止揚という課題は果さるべくもない。なぜなら、今日でもなお共同体の解体と二重構造の消滅とが明確に区分されて論じられていないばかりでなく、共同体は悪であり近代は善であるといった素朴な絶対評価が二段階戦略論や生産力論的近代主義のなかにふくまれているからである。

そのもっとも安直な用例として、前衛という観念をめぐる天皇制的な思考がある。前衛を一見デカルト的な明晰さで規定し、その収斂を固定させればどうなるか。単に前衛のなかにふくまれる大衆的契機を無視するだけでなく、また大衆のなかの前衛的契機と絶縁するばかりでなく、日本社会の構造的矛盾止揚への具体策をまったく黙殺することになる。少数のエリートが頂点を形成し、無知な大衆が三角形の底部を構成するといったピラミッド型の宮僚意識はたしかに二重構造の単純で主観的な模写であるが、この子どもの草書以下の戯画では何ものも解明することはできない。前衛が自己の大衆的契機を把握することのみが大切なのではない。前衛的思考の対極にあって、いわば反前衛の極と考えられる地点に倒錯したもっとも高次の反動思想があり、そのゆえにそここそ進歩思想の発生源であるような極小の場を設定することによって、前衛は自分自身の眼を獲得する。私はそれを原点とよんできたけれども、それは今日流行している実体的な底辺とはおよそ視角を異にしている。

底辺という観念は、頂点をもつピラミッド型意識から生みだされる。それは階層レベルによる社会構成をそのまま意識の世界にずらすことであるが、このような移行は官僚の常識とぴったり見合うものであって、俗流社会学的な認識法に便利なだけである。たとえば「サークルは文化創造の底辺をになうもの」といった命題が何を意味するか。どこまでいっても専門家としろうと、指導者と大衆といった平面しか滑っていかない二重構造への妥協が、いまなお進歩陣営を蔽っているのはなぜであるか。おそらく、最大の原因は前衛概念の天皇制になぞらった実体化にある。

もっとも強力な支配階級の思想がもっとも強度に疎外された人民の肉体を通過するとき、はじめて反抗の論理を変革の論理に転化する契機をもった、論理の対極にある何かが生まれる。それは思想の範型の終点であるとともに、それを超える新しい範型の始点であり、それをぬきにした合理主義や客観主義などは、すくなくとも変革にとっては何の役にも立ちはしない。結局のところ、おのが組織の頂点に神秘の冠をいただくだけの話である。

もとより、天皇制を裏返しにした形で大衆の疎外を物神化しようというのではない。前衛――大衆という図式が天皇――草莽の民といった脈絡に癒着するのを断ち切るためには、この図式の相対性を明確にし、俗流社会学的な認識を転倒することが必要だというにすぎない。そのような理由から、むしろ頭部が平たくて末の方がとんがっている尖底土器のような倒立三角形のイメージを描くことによって、前衛の陰画が得られる。このマイナスの前衛こそ、日本というものの総体を凝縮した地点であって、そこを見つめれば平均値的な日本ではなく思考の範型としての日本が透視されうる。ただし、自明のことながら忘れてはならないのは、範型はついに範型であって、実体でもなければ典型でもないということである。典型が可視的であるという信仰はリァリズム論を堕落させる最初のつまずきの石であるが、思想はそれをはてしなく追跡するという形でしか実現できない。その無限の接近のためにのみ範型が必要なのである。

ここで再び、本来的な意味での富とは人間的諸力の完全な発展を自己目的とするところの、人間の「創造的天賦の絶対的創出」であるとしたマルクスの規定に立ち返ってみるがよい。この創造的天賦の絶対的創出というのは自分自身の矛盾をどこまでも対象化していくことにほかならず、したがって自己の二重化過程と考えることができるが、このような過程の進行が制度化された二重性によって展開を妨げられるとき、はじめて二重構造の否定が課題となる。素朴一元論も状況主義も、統一された主体としての人間が自己の二重化過程を経てあふれだし、ひろがろうとする運動をせきとめている二重構造社会との戦いを最初から放棄しているものである。それは二重構造社会が必然にはらんでいる超越性への指向と無限定性への指向にそれぞれ基礎をおいているが、ともに二重構造の内側に制約されたものでしかない。

日本マルクス主義が社会の全状況を越えようとしてかえって弁証法的性格を失なっていることは、反動の側から転向者からまた戦闘的主体の内部からくりかえし指摘されているところであるにもかかわらず、今日もなおほとんど実効が期待できない状態にあるのはなぜか。それは現状の段階的認識に関する戦略論争をこととして、それぞれの段階をつらぬく巨視的・連続的契機をテーゼの土台にすえていないからである。当面する革命の性格が何であるかということも、固有日本的な社会構成原理の発生と変容の上に照しあわせてのみ、支配階級の観念弁証法をうちやぶる武器となることができる。それはテーゼのなかの反テーゼ的要素であるが、このような反テーゼ的要素と拮抗した結合をもちえないテーゼ主義が変革理論の発展を阻んでいるということができる。たとえば三二テーゼをめぐって今日なされている論議についても、権力の内容と構成法がややもすれば混同されがちな従来の認識を一歩越えて、天皇制メカニズムの発生基盤をより長期の歴史的観察の上にすえることが重要であろう。

マルクス主義のほかに、日本文明に関する総体的な批判の立場をなかば自生的に建設していったもう一つの体系は柳田民俗学である。柳田国男は、日本社会の構造的二重性を凡百の論者のように「内」と「外」との対立としてとらえもしなかったし、また単純な階級対立に還元してしまうこともしなかった。それは日本社会の構成原理に規定された二重性であることをいちはやく看破し、もっぱら下層部分の連続的契機を観察することに集中した。その結果、これまで日本文化の範型と考えられていた表層をはぎとって、日本文明の総体に関する独自な展望をひらいた。二重構造の上層部分は下層部分である小共同体の自己疎外でしかないという確信は、東洋の隠君子の系譜に流れている認識であるが、その伝統に立って彼は「常民」という概念をもちだす。それは底辺などという概念よりもさらに強い反官僚性をもっており、二重構造の逆説的な接続関係をよく意識しているから、それだけイデオロギーの範型に一歩近づいている。底辺概念には体制からの疎外という面の強調があるが、常民概念は体制こそ常民の自己疎外であるという面の強調がある。しかも彼はそれを巨視的な時間の流れにおいてとらえることによって、日本マルクス主義のいささか神経質すぎる概念規定癖にくらべて、社会構成的な分野から様式上の個性をとりだすことにある程度成功した。さらに彼はアマテラスオオミカミなどは和洋折衷住宅の表側でしかないということを津田左右吉などのようにはっきりいってしまわず、小共同体への観察にもぐりこんで難を避けた。彼こそは論理構造の二重化によっていわば隠れキリシタンのように天皇制との対決をたくみにすりぬけた、「賢明な」知識人の筆頭であった。

しかし、そのことによって彼自身が復讐されなかったわけではない。小共同体の尊重がいつのまにか二重構造の美化に終るのは、東洋の隠君子たちがたどった道であったが、彼もその運命をまぬかれなかった。「後狩詞記」や「遠野物語」などで山民の生活をとりあげ、「海南小記」などで南島の生活を追求していたころの彼は、民俗学草創期の開拓精神に鼓舞されながら、民衆の心情の縄文期とでもいうべき原鉱石のようなマチエールをもっていた。ところがしだいに収集が豊かになり、稲作文化が主な対象にされてくると、にわかに彼の芸術社会学的な世界はなめらかな弥生式に転じ、日当りがよく穏やかな風景に浸される。出身地が山陽道であることもなにがしかの影響を与えているかもしれないが、常民が平均値的な日本の多数派になってしまったのでは、常民の底辺概念化は避けられない。底辺的な所得層にぶくまれている思想のとがった尖端部は何か。それをくりかえし考えつめていかなければ、かならず日本文明論は東海・近畿・山陽道風の平地農村型にひきずられて、「大和は国のまほろば」式の温和な中央指向性におちいってしまう。柳田民俗学は小共同体の側からする包括的統一体への批判にはなりえたが、小共同体相互間の、また小共同体内部の葛藤の契機をえぐりだしていかなかったために、もっとも強度な疎外のなかにふくまれる二重性を発見することができなかった。すなわちここでは、二重所属と半所属の葛藤としてあらわれる日本の大衆現象が、一歩下降したところで半所属と無所属の対立として登場する。帰属すべき何物も持たないがゆえに帰属そのものから自由であるような自己の歴史的な基盤（非所属の所属）をみつめない個人の確立などありえないわけだが、それは体制に半ばしか所属していない危機感（所属の非所属）と切りむすんではじめて、プロレタリアートにつけられている鎖の史的構造をあきらかにする。

辺地の農漁民、流浪のプロレタリアート、特殊部落民、癩病、在日朝鮮人……これら差別というかたちで疎外を受けている者たちのなかに<u>のみ</u>範型としての日本があることは疑う余地のない事実である。彼等こそもっとも強烈に支配階級の思想から照射されており、そのゆえに一定の条件つきで何人よりも近代ヨーロッパの範型としていうところの個人にちかく、またその「個人」を超える可能性をもった存在であるが、その可能性はいかなるコースを通って打ち樹てられるか、その思想的生産性を保証するものは何かという課題に当面する。それをぬきにして、まず生産関係からの解放を、しかるのちに……と史的順序と論理的順序を混同して考えるところに、生産だの関係だのという観念に対する限りないブルジョア的俗流化があるのである。

4　二重構造の転位と思想的生産性

二重構造とは、一定の条件をもった小共同体とそれから自己疎外された統一体との合体物にほかならない。したがって体制からの疎外という面から大衆を見るのは、かかる論理の倒錯を前提に意識したばあいにのみ有効である。疎外状況のはげしさをいくら強調してみたところで、結局はあの戦後百万遍も繰り返されてきた「政治の貧困」メロディに終るのはなぜか。それはどんなに進歩的なスタイルをとろうとも、そうであればあるほど、思想を腐らせるという意味で反動的である。体制からの疎外は、疎外の復路であって往路ではない。そして人間が自己の二重性を対象化することはとりもなおさず自己疎外であって、このような自己疎外なしに人間の創造的天賦が創出されることはありえない。だから人間にとって疎外一般がマイナスであり悪であるという理由はない、疎外は疎外の固定化、したがって人間の内的本性の対象化による再生産を保障し連続させないという意味でマイナスなのである。人間がその自己疎外である体制から突き放されていく過程がどんなにはげしくても、そのこと自身は創造的因子ではない。それは強烈な疎外であればあるほどまっすぐに支配階級の思想を反映する。土方の思想はしばしば土建屋の思想の純粋結晶である。しかし、そのような強度の疎外状況のなかに本来そこから体制が発生したところの根源的な矛盾の統一が秘められているのであって、そのサイクルをサイクルとして意識したとき、はじめて人間の内的本性の対象化による再生産とその保障こそが解放と呼ばれるものの内容であることを自覚することができる。

ところで日本の二重構造が人間の二重性を対象化しつつその再生産を拡大していくという人間の自己目的と矛盾するのはどこか。それは一見きわめて旺盛な二重化現象の過程であるがゆえに、ときとしてこのような種類の二重化が人間的再生産を保障するものと錯覚されがちであるが、それはタテの系列化であり、同一平面に展開された矛盾の両極の緊張関係ではない。いわば日本的共同体を基礎とする二重化は、言葉の本来的な意味における二重化——他者の内部への自己の論理的浸透——ではなく、その擬制化であり、擬似意識を媒介とする二重化にすぎない。人間の内的本性の対象化よりも前に制度的二重化が先行し、一種の擬似階級が見えないカスト制度のように重なりあっているだけでなく、複数の系列が論理的には無関連なままに相互浸透をとげて、強力な無差別・無論理の統一をつくりだしているということ——この列島社会の特色は、支配者がもっとも少ないエネルギーで、上層のサイクルに下層のサイクルを統括的に抑圧させるという形で管理することのできる方式であるから、管理技術としてはそれほど下手くそなものではない。もしこのような管理技術がなかったとしたら、幕末の蓄積段階から三十年も経たないうちに日清戦争を遂行することができるほどの資本主義的発展はとうてい望めなかったにちがいない。だがまさにそれと同じ理由——二重化の制度的先行が内的な再生産を阻んでいるのである。

このような社会でなにがしかの内的生産性を保とうとすれば、混沌たる無定型と感じられる現象の総体をある矛盾の顕現としてつねに整理し直す必要がある。この必要からとらえられた二重性の認識がまず外来的なものと固有内在的なものとの対立であり、つぎに上層部分のエコールめいた相互対立であり、そして上層部分と下層部分の対立である。だがそれは対立をかろうじて過去の共同体の上位の断層から生じた観念によって支えながら、インターナショナルだのナショナルだのといっているのにすぎないのであって、下層部分相互間の対立、下級共同体と個人の対立、下級共同体からさえも疎外された個人の内部にある二重性などといった領域はあいまいな翻訳による伝達の努力もなされないままに放置されている。そこにふみこむことは論理の錯乱を避けがたいばかりでなく、自己の存在の基底をゆるがす危険を滑稽にもおかすこととして、すくなくとも論理化の対象からはずされている。

「明治天皇は四十五年つとめて、なかなか苦労した。息子は体が弱くて十五年しかつとめきれなかった。その孫がいま三十五年になるけれども、私も七十年も働いてきたのだから何のかのとはいわせん」と高言する老婆がいる。少女のころから坑内労働をつづけてきて貧苦のどん底にある彼女が、天皇制とまっすぐに向きあって発しているその言葉は、いうまでもなく二宮金次郎風の篤農主義でもなければ、労働の量をもってはかる数量主義でもなく、また苦労を労働から分離した主観主義でもない。自分がためこんだ虚無の質を知りたいという欲望が計量化の拒絶という形になり、その拒絶が労働の年数というもっとも他愛ない自明の量で示されているのである。だがこのような部分からまったく知識の世界とは独立になされる天皇制批判というものを私たちはそれほど多く知っているわけではない。こういう作業一つやらずに天皇制批判が完了したかのように考えている浅薄さを私たちはもっている。——また長崎の浦上部落では老女から娘にいたるまで、部落内では一つの公理となっている次のような言葉をつぶやく。

「浦上だからよかったのだ」ほかの部分が原爆の中心被害地だったら、あの地獄図に耐ええなかったであろう。それを支えたのはキリシタン以来の自分たちの信仰だというのである。浦上といえば異教と貧困の重なりあった特殊地帯として差別されている土地であり、同じカトリック信者のなかでもいくらかの陰影をもって待遇されている感じがないではない場所である。そこでこのような傲慢ともいえるほどの自負が示されるのはなぜか。戦後多くの衝撃的な言葉が吐かれてきたけれども、一つの部落の共通倫理が原爆を越えていることを身をもって証明したと主張する、このドラスティックな発言ほどのものはどこにも見ることができない。この言葉に出会うとき、戦争中に大衆の抵抗があったかどうかというような議論は畳の上のほこりのようにけし飛んでしまう。かの「総力戦」のなかにおける抵抗とはどのようなものでなければならなかったか、抵抗があったかなかったかをいまさら議論しなければならないのはなぜか。すべてはこの舌足らずの寸言の背後に隠れているのである。そして、もっとも大切なことは日本の進歩思想がこのような基底部分における大衆の前イデオロギーまたは原イデオロギーに対して、今日なお真向うから取り組む態度をほとんど持っていないということである。だから前にあげた炭鉱地帯の老婆と浦上の娘とがその思想の核心を交換することになればどうなるかというような問に身をよじって答えようとする変革理論などにお目にかかることは望むべくもない。

そもそも共同体——個人——コンミューンという図式を承認するとしても、この個人が近代ヨーロッパ的範型にもとづく個人でなければならないという理由はどこにあるのか。もちろんヨーロッパにおいてもそれは範型でしかないわけだが、私の見るところでは彼女たちが生粋の労働者であっても、また舶来の信仰につらぬかれていようとも、彼女たちは断じてヨーロッパ型の個人ではない。個人といっても、であればあるほど無媒介的な個人があろうはずもなく、ヨーロッパ型の個人とはそれに先行するギリシア・ローマ的およびゲルマン的共同体からの自己疎外にほかならない。それとアジア的・日本的共同体からの自己疎外たる個人が無差別的に取り扱われることの方が不思議である。すなわちそこでは集団への帰属と自立という観念が異っており、両者は互いに逆説的な関係をもつ。あたかも西日本の共同体と東日本のそれが異るように、二重構造を構造それ自身として遺伝されている日本社会の基底部分における個人性は、いわば上から押しつけられたスプリングとなって同一平面に投影している二重性であるから、その圧力が軽減されたばあいには強い上向意識となって伸びきる。下剋上にはなっても、権力の質の変化を志向しないという点でヨーロッパの個人性と区別されるけれども、他方それが同一平面における他者との相互浸透を余儀なくされるばあいには、つまり荷圧が強大で持続的であるとき、非公然の連帯意識のなかで自己の増殖をはかる独自の弁証法を持っている点でもちがいがある。つまり、それは自分の体内に、あるいは身近かに招きよせられた二重体制の自覚的な逆用であって、労働の孤独さと集団性を、またカトリシズムの普遍性と部落の孤立性を一体的な領域でつかむことのできる非分析的な能力である。この定在的でない能力に強く支えられなかった高次の精神的所産というものは日本には存在しない。だが、それがある中間層に対応するとき、かならず擬似階級的な階級性を帯びることによって即物的な力強さを失なうのは当然である。だから、この能力が荷圧に耐えぬいた大衆の基底部分で対象化される過程に注目するのは単なるサディズムではない。これまで日本社会の弱点とされてきた個人の主体の未確立という課題は、むしろその弱点をつきつめて別な範型に支えられる主体を発見しないかぎり、永久に不毛である。集団のなかで集団から区分され、その区分のゆえにいっそう集団と結合しうるような個別性というものを日本の社会に発見する道は、二重構造の上位部分からつねに自分をひきはがしながら、そのするどく尖った基底部分と接着していく連続的な下降運動のなかにしか存在しない。他律的な強制によってかくあらしめられる者と自律的な衝動によってそこにおもむく者との夾角の収斂がその方法を意識化する。

しかし、この運動はそれだけではまだ上下関係としての二重構造の符号を変えたにすぎないという限界をもつ。この下降性こそ実は本来「非転向」とよばれるべきものの内容を示すヴェクトルであって、それが「前衛」への所属か離脱かという形で問われるところに転向それ自体を拡大再生産する転向概念の倒錯症があるのだが、その倒錯を立証するためにも、下降する自己と大衆の尖底部分との対立に位置するだけでなく、さらにその尖底部分のもつトータリズムが分割不能の等質物でないことを見きわめなければならない。

制度化された二重構造が小共同体の非制度的な二重性の自己疎外であるとするならば、その二重性はまた共同体の構成員をもつらぬいている。そしてこれらの二重性の割れ目に沿ってそれぞれの重さをもつ個人が発生する。したがって日本社会の個人がヨーロッパ的範型における個人と異る第一の特色は、発生過程を異にするさまざまな種類の個人がいるということである。第二の特色は、これらの発生過程を幾つか重ねてプレスされた個人がいるということである。単系的に発生した個人よりも、多系的な発生過程をもつ個人の方がより豊かな表現性をもつ。だが、それが同位の中間性にすぎなかったり、上下関係をもったりしているばあいには、その表現自身が制度としての二重化に密着する。そこでこれらの多系性を同次元に位置づけて透視することのできる立体の平面化が強制されている地点として、尖底部分を重視すべきである。

事実、この部分が精神的に不毛であるというぬきがたい知識人の偏見にもかかわらず、そこは二重構造がそこから自己疎外されていく発生源であり、またかかる体制からの疎外の必然の結果としていくつかの種類の疎外がふりつもっている終着駅であるから、そこに異る複数の疎外がもっとも根源的な形でたたきあい、相互に浸透している姿をかいまみることができる。言語に対象化されたものはすでにその多元一次式とみえる一元高次式の原型そのものではないが――たとえば沖ノエラブ島の民謡は次のようにおのれの二重性を歌う。

女童《みやらび》の玉乳《たまち》昼やおし隠ち、夜《ゆる》なりゃ出じゃち青年《にせ》に飲《ぬ》ます
踏《く》みゃ揺《ゆた》みちゅり後蘭田《ぐらるだ》の畦歩《あぶしあ》きゃ揺みちゅり愛女《にぞ》が玉乳

明瞭な輪廓をもつ肉体のなかにふくまれている細かな震動はいかなるバネ仕掛によるのか。この微かな不断の動揺感は、この島が薩南文明と沖縄文明の干渉地帯にあることと無縁ではないであろう。どちらの文明からも疎外され、そのいずれに帰属するのかという疑問につつまれた疎外の二重性が、これらの歌の主題を裏うちしている。いわばそれは「外」と「外」との対立にすぎないものが、一個の肉体に内在化されていくときの旋律である。

参ろうやナ　参ろうやナ　パライゾの寺に参ろうやナ　パライゾの寺とは申するやナ　広い

寺とは申するやナ　広い狭いはわが胸にあるぞやナ

この長崎県生月島の隠れキリシタンの歌では、すでに矛盾の内在化が顕在的な主題となっている。そこにはいくらか浄土信仰の匂いも漂っていて、カトリックと仏教の二重性が感じられるが、そのどちらからも極地である離島の民の信仰は弾圧によって土俗化したのではなく、そもそも固有の二重制度とそれに照応する心情をもって外来神を受けいれたのだと信ぜざるをえない多くの事実がある。前にあげた浦上部落にしても寛政年間から明治初年にいたる四回の集団流刑、いわゆる「旅」の記憶を語り伝える村落機構としての「サバト寄り」を中心にした不断の洗練なくして、単なる一般的なカトリシズムだけで、あのような原爆への対応ができたと夢想することさえ不可能である。隠れキリシタンを支えたものも村落組織と重なりあった講社（コンパンヤ）以外の何物でもなかった。そこには国家神、土俗神、修験道、仏教が一堂のもとに集まっており、その基礎の上に立ってジュワン次郎右衛門が「天国はここからさほど遠くはない」と叫んで斬られたのである。この天国を純粋主義的に、つまり知識人がやるように二重所属の切りすてという点から見ようとする者はかならず問題の入口で失望するであろう。そうではなく、ここにさまざまの系列がそれ以上凝縮することのできない力で砕かれ、プレスされていると感じるがゆえに、そこが天国の近くなのである。辺境こそ中心であるという逆説が逆説でなく貫徹するためには、それなりの社会経済的な土台もあった。すなわちこのちっぽけで不毛な島は古くから発達した水産基地であり、漁民の広さと農民の狭さがその両者をかねる島人のなかでせめぎあっているので、世界と自分をつなぐメタフィジックな形象としてパライゾの寺を発見せねばならなかったといえよう。

坑夫々々とけいべつするな　石炭、畑にゃ生えやせぬ

メタフィジックな形象による統一が破れれば、自己の内部に潜在する矛盾の対極を外在化して敵とみなす。坑夫の先祖はいずれ村を追われた農民であるから、自分と農民世界を敵対的に重ねあわせることができる。しかし坑夫としての疎外感がもう一つ深まれば、その敵対的バランスは破れて、

汽車は炭ひく　雪隠虫や尾ひく　川筋下罪人はスラをひく

というふうに文明と原始性の間に自分をはさみながら沈潜したあげく——突如、

いっちょさせたら小頭めの奴が　特別切羽《きりは》をやるというた
蒸気卸《おろし》の曲片磐《かねかたばん》で　いっちょさせたがケチのもと

といった疎外の二重性の相剋の上に立つ朗々たる階級感覚がほとばしりでる。これらの歌謡が自己の二重性を対象化していく過程と藤村いらいの現代詩がたどったサイクルとくらべあわせてみるがよい。両者はおどろくほど似ていると同時に、内包されている二重性の直截さという点で現代詩は遠く及ばない。これらの歌が立体の平面化にすぎないからといって、現代詩の方が彼等の平面をよりよく立体化しているという理由にはまったくならない。いずれにせよ同一平面における複数の疎外の相互浸透が成立するとき、大衆の基底部分はおのが表現をもつのである。

この相互浸透の関係を示す函数の特殊性とその自覚が個人の確立であるとするならば、なかば無意識のうちに進行している主体形成の運動を媒介することがイデオローグの仕事であるが、この運動が日本の二重構造を単なる下剋上的移行ではなく、二重構造そのものの止揚にみちびかれるためには、階級をつつむ擬制としてのタテの二重構造を九十度転位した、民主的な二重体制を考えることが必要である。もとよりそれは哲学的・組織的二元論ではなくて、一元論に立つがゆえに二重化される弁証法の顕在化としてである。それは軍事指導と政治指導の二重性をもつ赤軍をはじめ、党と政府の統一的な二重指導の方法としてソヴェトが採用してきた組織原理でもある。この原理の持続的な発展をはかることはいうまでもなく容易ではないが、それは単なる管理技術ではなく、人間であるがゆえに商品であり商品であるがゆえに人間であるところの労働者の主体とその自己疎外の関係に対応すべきものである。同時にそれは日本社会において、人間ではないがゆえに商品でなく商品でないがゆえに人間でない経済外的差別下の集団を、より非人間的な条件におとしいれつつ商品化してゆく前論理的かつ超論理的なメカニズムに対応してさらに発展させなければならない。日本の資本主義を前論理性と超論理性のどちらに傾斜して理解することも誤りであることはもちろんであるが、その二重性よりもっと巨視的で尖鋭な本来の二重化を哲学的・組織的に対置しないかぎり、それを打倒する道はない。

それは形式化された定型を新しい定型へみちびくための相補的な運動というだけでなく、非日本的な日本を手がかりに日本的な非日本を経てより広い世界へ出るための創造的プログラムを暗示する。政党であれ労働組合であれ文化組織であれ、もはやその定在的運動の範囲内では自分自身を再生産することすら不可能になっているのは、決して偶然ではない。それは日本の二重構造がその自己運動の道程において瀕死の、そして最高の段階に到達したことを意味する。今日、反体制運動に向けてなされているさまざまな提案は、二重性の制度的・独占的集中が資本と賃労働の矛盾の両極にそれぞれ凝結している状況を溶解しようとする試みにほかならない。この、一見して第三者的な立場を真の構造批判に転位させるのは日本独占資本とその権力の存在様式批判そのものでなければならないが、大衆の基底部分にひそむ意識の実存と潜在性を駆使してその打倒に向かおうとする者は、当然に自己の内的主体の二重の対象化によって二重構造を止揚することという課題につきあたる。そして、それこそは日本文明をその変革との関連において世界史的に位置づける唯一の道である。

〔註〕文中のマルクスの引用は『資本制生産に先行する諸形態』から。

（一九六一年三月『現代の発見』第十三巻、春秋社刊）

あとがき

きっちり二十字で、離党届の文面はつきた。あまりにも軽いその封筒が、初夏の陽をべっとり塗っているポストの、小さな廃坑のような胎内をひらひらと舞いおちていったとき、感じがない、まるでない、ということをちょっとだけたしかめてから、私はひきかえした。この稀薄さはすべての予想を越えていたが、十三年間の党生活が終ったとはすこしも考えなかった。

そのとき以来、私はまだ出現していない、不可視の党にいかにして今日的に所属するかという、ややこしい課題をいだくようになった。私を葬むる者は私自身であり、他の何人にも手を下させないと決意したことによって、私の耳はいま、私が私をしめ殺す金属性の音を、プロレタリアの国へさそうファンファーレのように聞く。ようやくにして私の半身は、凄まじい未来へ通じる扉にはさまれている。

テーマよりモティーフを、モティーフよりマティエールをと思いつめてきた私は、ここに収められた文章が、かんじんのマティエールの点でもお話にならないと断定せざるをえない。三池と安保の高潮期に、ペンを折るか離党かの二者択一に追いこまれていた私は、さまざまの工夫をこらしてみたが、無音の壁を突破するためにはやはりこのように生硬な体あたりによるほかはなかった。

だが、ぶざまな格闘のあとを一冊にまとめようとするのは、昨日の記念のためではない。革命的な皮膚感覚を喪失した運動が、一人一殺のムードによって末梢神経からゆるがされている今日、この震動を誘発する間隙がどこにあるかを言いたいのである。

一九六一・二・一八

解題

坂口博

谷川雁の第三評論集にあたる本書は、敗戦後の日本における大きな分岐点といわれる「一九六〇年」を、その時代背景としている。具体的には日米安全保障条約の改定をめぐる国会を主な舞台とした安保闘争と、福岡県大牟田市の最大手炭鉱、三井鉱山三池鉱業所の人員整理・合理化をめぐる三池闘争である。後者は「総資本」対「総労働」の闘いといわれた。

この二つの大闘争に触れた論考をふくむため、標題『戦闘への招待』は名付けられたが、本書のキーワードは、「戦闘」でも「闘争」でも、また「前衛」でも「革命」でもない。普遍的な問題としての「二重構造」、その日本における諸問題が、主要な課題となっている。標題に魅かれて読む者は、早々に裏切られるだろう。しかしながら、今日も存続している、日本の諸産業（特に重工業）の二重構造の問題に着目する者にとっては、さまざまな示唆に富む内容となっている。

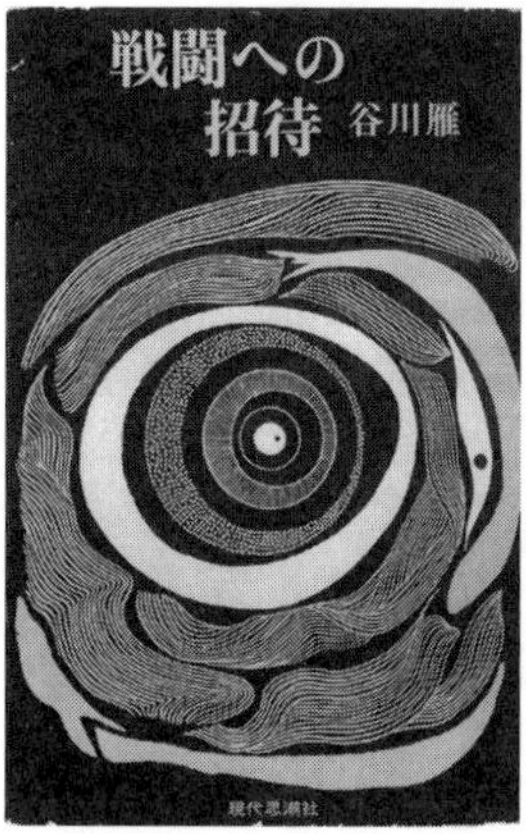

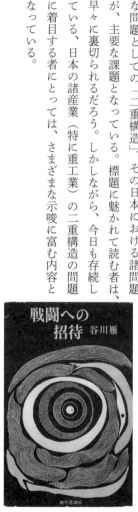

三池闘争と安保闘争

ここでは、二つの闘争についての解説はしない。本書の「定型の超克」などでも、概要は知ることができるからだ。そもそも、ここで一九六〇年の闘争を回顧する意図もない。

同時期の証言としては、次のようなものがある。

諫山博『三井三池――たたかいの記録』（三一書房、一九六〇年九月　三一新書）

武井健人 編著『安保闘争――その政治的総括』（現代思潮社、一九六〇年九月　現代新書）

『民主主義の神話――安保闘争の思想的総括』（現代思潮社、一九六〇年一〇月　現代新書）

日高六郎 編『1960年5月19日』（岩波書店、一九六〇年一〇月　岩波新書）

なお、「三池闘争はある貴重な一点で安保闘争の水準をはるかに凌駕していた」（「定型の超克」）と、「土着的アナーキズム」の持つエネルギーを評価した谷川雁だが、その後の三池闘争に対しては、根源的な批判を加えていく。それも、批判的批判ではなく、大正闘争として実践的批判を行なっていく。

ほかに、谷川雁が三池闘争に触れた論考は、以下のとおりであり、『無の造型』（潮出版社、一九八四年一〇月）や『道の手帖 谷川雁』（河出書房新社、二〇〇九年三月）などに再録されている。

「熱い泥の激突――三池で感じること」（「日本読書新

聞」1048号、60・4・11)
「反暴力」(「サークル村」通巻21号(3巻5号)、60・5)
「ミイケはどこへいったか」(「別冊新日本文学」1号、61・7)
「私のなかの〝死〟――三池の死者は我々のなかに孕まれていた」(「九州大学新聞」501号、63・12・10)
「原基体としての労働者組織――三池の死者たちを撃つために」(「人間の科学」8号(2巻2号)、64・2)
「〝あってはならない〟産業の暗闇を凝視せよ――有明鉱惨事に思う」(「朝日ジャーナル」26巻5号、84・2・3)

ただ、一九六〇年五月号の「三池から吹いてくる風」の特集で休刊に入った「サークル村」(第一期)は、九月にガリ版刷りの第二期として再刊するのだが、そこには沖田活美「三池をしめくくる夕べ」が掲載されている。三池がともした「灯をより新しく大きな炎にする」決意を語る。休刊のあいだの八月に、中央労働委員会の「あっせん案」を炭労(日本炭鉱労働組合)中央が受け入れることで、急速に労働争議は終結していく。実質的に「総労働」の敗北で、その流れは六十年後の今日まで変わらない。

ところで、「武勇の国の臆病者を」で『群像』に連載された加藤周一『神幸祭』」が話題となっている。

加藤の長篇小説は少ない。一九四五年の敗戦を描いた『ある晴れた日に』（一九五〇年）、五一〜五五年のフランス留学を素材とする『運命』（一九五六年）、そして筑豊（田川）の中規模の炭鉱を舞台に、坑内事故から組合活動を描く『神幸祭』（講談社、一九五九年三月）の三作のみである。田川の「川渡り神幸祭」が、重要な場面に使われることから、標題が決まった。初出は「群像」五八年七月〜一〇月号。ほとんどの加藤論では言及されることなく、その後再刊される機会もなく、広く知られていないように、確かに「名作」とは言いがたい長篇だ。谷川雁も「坑夫は作者の現実に対する無知ではなく、小説に関する中毒症状をひやかしている」と酷評する。登場人物が会社側・炭坑夫側と多すぎるし、読んでいても主人公の人物造形が浮かびあがってこないなど、欠点は容易に指摘できよう。

内容も、納屋制度と会社組織。炭車による事故死と、その遺族、妻子の一家心中事件。GHQ主導による敗戦直後の組合結成、御用組合から活発な組合運動。斜陽化する炭鉱経営、「跛行（びっこ）」の身体障害者や、朝鮮人労働者の存在など、あまりにも盛沢山となっている。

ただ、問題は、なぜ、「神幸祭」を執筆した一九五八年の時点で、加藤は、炭鉱に、筑豊に関心を持ったかであろう。それは、三井鉱山本社（東京・日本橋）で内科医として隔日勤務（一九五五年四月〜五八年八月頃）で、まず説明できる。九州出張で、三井三池の大牟田も三井田川も訪ねたことは間違いない。しかし、加藤は大手炭鉱を舞台とせず、中規模の炭鉱の組合活動を主に描く。

のちに加藤は、自伝『続 羊の歌――わが回想』(岩波新書、一九六八年九月)で、「九州の炭坑では、客観的判断がほとんど不可能な状況に出会った……。私は九州で、調停者でも、審判官でもなかった。しかし判断を放棄できない場合には、どうするのか。……科学的な判断が不可能であるとして、しかも意見を決める必要があったら、私はどうするであろうか。私は九州でそういうことを考え、坑道のなかへ入った私自身の経験――それがどれほど短かったにしても――へ戻るほかないだろうと思った。暗い危険な坑道のなかから出て来る度に、出口に見える一片の青空。毎日一片の青空を全身のよろこびを以て感じる――いや感ぜざるをえない生活を生きている人々、彼らが酔っぱらおうと、無理な議論をしようと、毎日青空の下で暮しているわれわれが、彼らの言分を拒否することはできないだろう。彼らがまちがっているということを客観的に説明できないかぎり、彼らの言分はすべて正しい、と私はそのときに思った。傍観者としての判断は、常に可能ではない。故に傍観者であるのをやめるときがなければならない……」と記している。

「日本の二重構造」

谷川雁は、「日本の二重構造」の一の結びで、「二重構造こそは、古代から現代までをつらぬく日本文明の大前提であり、そのプラスとマイナスはあげてこの二重性の固有な展開法のうちにふくまれている」と断定する。もちろん、この仮設の検証は必要にしても、この視点から「二重構造そのものの止揚にみちびかれるためには、階級をつつむ擬制としてのタテの二重構造を九十度転位した、民主的な二重体制を考えることが必要である」（四章）と提起したのだった。

この方向で、労働組合からも自立した「大正行動隊」から戦闘的第二組合としての「退職者同盟」を組織することで、三池闘争を超える大正闘争が実現できた。それは、争議の規模をいうのではない。人員整理という炭鉱資本の合理化政策を逆手にとって、あえて「退職」を選択して「資本主義」からの自立を目的とした。それまでの資本の枠内にとどまった労働争議を思想的に超えていった。会社側に協力する第二組合の分裂によって弱体化を進めた労働運動を、「二重構造」論を駆使することによって逆転を目指したのだった。

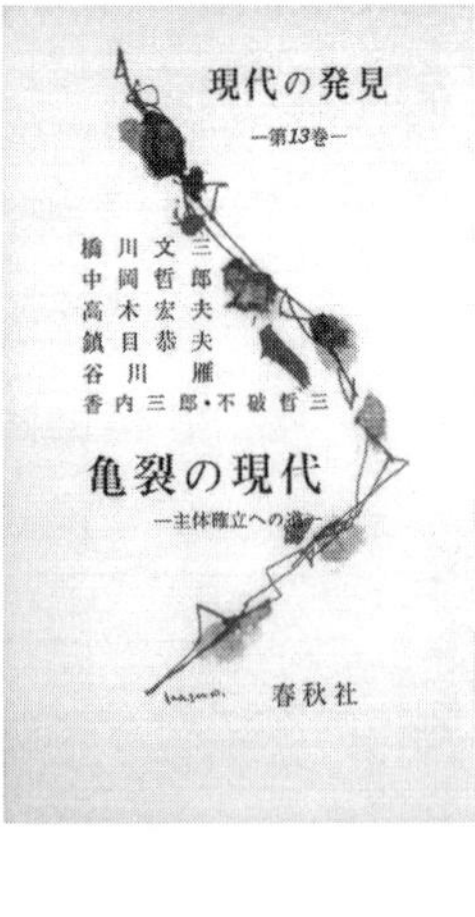

その意味でも、谷川雁の「日本の二重構造」論は、単なる解釈ではなく、実践的批判としてまとめられている。本書においても、「軸と回転」では「日本人の意識の二重構造性につきあたるとき、日本の文化の問題はいつでも二段階を一度にかけ上ること」と指摘し、「サークル学校への招待」では、柳田国男の方法に触れて「日本式の抵抗の歴史的な原型」を「日本の二重構造」に見出している。さらに、「前衛の不在をめぐって」で「二重構造は日本独占資本の存在様式そのものであり、独占資本は日本的二重構造の死に瀕した最高の段階であるというのが私の戦略論の原型である」とまで言い切る。「定型の超克」でも、「日本社会の二重構造という観点は、より

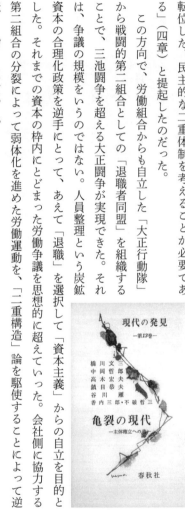

包括的に文明へのトータルな批判を行い、その意識的・制度的・歴史的分析をあわせて解明されなければならない」と、繰り返し指摘する。

もっとも、『近代日本思想史講座』第七巻の書評（「日本読書新聞」一〇三一号、一九五九年一二月七日。本書未収録）で、「私はこの大衆意識の二重性がアジア的共同体の二重性にその存在論的根拠をもっていることをくりかえし説いてきた」と述べたように、『原点が存在する』所収の「さらに集団の意味を」（サークル村創刊宣言）におけるサークル共同体論でも、次のように指摘していた。

生産（創造）型の共同組織としての日本のサークルはさけがたく村の講中や四国遍路の同行者たちのふんいき、すなわち前サークルの気分を背景に持っている。このことの長所も欠点もまたマルクスのいわゆるアジア的共同体の二重構造論にその根源をみいだすことができる。

前述したように、この仮設の当否は問わない。検証は今後の課題である。ただ、谷川雁は、「創刊宣言」での「知識人に対しては大衆であり、大衆に対しては知識人であるという」工作者（工作者も「二重性」に引き裂かれている）の存在の必要性と同時に、すでに「二重構造」も重視していたのだった。

もちろん、その問題関心を深めた、直接の契機は竹内好「近代の超克」論である。

『近代日本思想史講座』第七巻（筑摩書房、一九五九年一一月）に収録された竹内の論考は、その後もさまざまな分野からの論及が繰り返され、影響を与え続けている。竹内自身の『全集』や論文集などでも読むことは可能だが、論考の対象となった論集・座談会『近代の超克』（創元社、一九四三年七月）に、竹内の論考などを加えた冨山房百科文庫版『近代の超克』（冨山房、一九七九年二月）が最適である。いくつもの論点のなかで、必ず取り上げられるのは、次の箇所だ。

大東亜戦争は、植民地侵略戦争であると同時に、対帝国主義の戦争でもあった。この二つの側面は、事実上一体化されていたが、論理上は区別されなければならない。（中略）帝国主義によって帝国主義を倒すことはできないが、さりとて帝国主義によって帝国主義を裁くこともできない。

大東亜戦争はたしかに二重構造をもっており、その二重構造は征韓論にはじまる近代日本の戦争伝統に由来していた。

本書の「近代の超克・私の解説」は、書評の延長であろう。「竹内好の太平洋戦争の解釈は、（中略）戦争を帝国主義間の戦争と植民地侵略戦とに区分し、それによって支配階級の戦争政策そのものの分裂を説き、同時に民衆の中にもこれに対応する分裂があったことを示唆」していたが、「第一に戦争の性格に局限されたものであって巨視的な構造論ではないし、第二に支配階級の分裂と被支配階級のそれを現象的な対応によって同質化してしまう危険がある」と批判する。それは肯定的な評価であって、「戦争中の民衆の倒錯と自分の倒錯を重ねあわせ、二重の倒錯によって思想の正常位を回復しようとする努力」とみなす。「さらに前方へ向って倒錯を進行させる必要」を提起する。谷川雁は、「太平洋戦争の二重性格はいわゆる日本資本主義の二重構造の危機的な集中の反映であった」と、「二重構造」論を拡張していく。その仕上げが、本書の最後に収められた「日本の二重構造」である。

なお、竹内好は「大東亜戦争」と表記し、谷川雁は「太平洋戦争」と表記しているが、竹内が正しく指摘したように、「戦争は、一九四一年十二月八日に突如はじまったのでなく、はるか前から連続して進行していた。戦争の開始は一九三七年にさかのぼることもできるし、一九三一年までさかのぼることもできる」。現在流布している用語では、日中戦争をふくめた「アジア太平洋戦争」の範囲・時期を念頭に置いたものであって、戦後民主主義教育の場で喧伝された、一九四一年一二月の対米英開戦後のみを指す「太平洋戦争」とは明らかに異なっている。ちなみに、日本では、一二月八日の開戦直後、一二日からは、一九三七年七月七日の盧溝橋事件（当時の呼称でいえば「支那事変」）にさかのぼり、米英との戦争だけでなく日中戦争と連続した、一体のものとして「大東亜戦争」を位置づけた。さらに注記すれば、GHQ当局も、当初は一九三一年にさかのぼって「太平洋戦争」としていた。

一九六〇年を迎える

ところで、谷川雁にしては珍しく、当時の家族関係に触れた文章が、一九六〇年六月に発表されている。

おとうさん――たばこ、けむり、えんとつ、そら、ほん、じ、ニュウス、みいけ、たんこう、ろうどうくみあい、はなしあい、せいねんたち、おみやげ、きじぐるま、おさけ、サイダー、コップ。

小学二年生の娘のノートをのぞいたら、こんなことばが書きつらねてあった。彼女と私は、いわゆる生さぬ仲である。もうひとりの父親と五歳まで一緒だったし、いまでも時折会っているから、その方の連想もあったにちがいない。(中略)

私のやむをえざる「家庭」には、あと二人の幼い少数民族がいる。生さぬ仲の母親をもつ一年生の娘と、はじめにあげた娘の実の実弟になる三歳の息子である。息子は私を本来の父と思いこんでいて、二人の姉がこもごも真相を教えようとしても、まったくきょとんとしている。

(「教育は血縁と野合している」)

「妻」森崎和江の子供ふたりと、雁の実娘、あわせて五人家族を説明した箇所で、「説明を簡単にするために私は娘、息子、妻ということばを使ったけれども、これらの用語に対応する世間一般の観念によって自分の生活集団を構成したのではない」と断りはするが、谷川雁にとって、家庭的には、最も幸福な安定した時期だったかも知れない。世間は安保や三池で騒然としているなかではあっても、その後の事件や出来事を知ると、そう言わざるをえない。これは本書には未収録だが、『道の手帖 谷川雁』に再録されている。

この「一九六〇年」を、どのようにして迎えたか、これも唯一といえる「日録」(「日本読書新聞」連載)を残している。一九五九年一二月一日から、六〇年一月二日まで、かなりの長文になるが、イニシャル名などには注記をそえて全文を紹介しよう。メタファーなしの文章は、日常生活の一端をのぞかせている。

十二月一日 ローカル線を三度乗り換えて炭鉱失業者の調査から帰る。東京行をなかにはさんで十泊ほどの巡礼だった。九大島崎譲らと一行五人、「石炭なんぞもう見る気もしない」と叫びあって別れたが、こちらのねぐらはまたしても炭鉱町だ。前夜八時間ほど執筆の方向についで大風呂敷をひろげあったので、ウイスキーをなめながら眠る。眼をあけてはまた飲む。寒い日暮れどき、腸のなかで選炭機が動いている感じだ。

帰りつくと大正中鶴の坑夫諸君が待っていた。元サークル村事務局のQ〔友成一〕、ついに精神病院に入るとの報。予期していたうつろさ。

二日 留守中たまっていた手紙、雑誌類を読み、五六通返事を書く。こう不精になっては自嘲の心さえわかぬ。誰かにかんじんな便りをせねばならないのだが、その相手が霧のなかに沈んでみえない。母の誕生日だという知らせで電報を打ちにいく。かっこうな電文を思いつかず、苦しんではいるが生んでくれてありがとうというようなことになる。妙なせりふではある。『日本思想史講座』第七巻の書評を読書新聞から頼まれ、前夜から読んでいたら、Q夫人が下の子を連れてきた。生保と石山の労働と合せて月収八千円、それで高利の借金三万円をどうして払うかという問題である。相談しているうちにむずかしい詰将棋を解いているような気になってきた。彼の意識はまだ乱れている由。夜、労組書記P〔阪田勝〕来る。

三日　〔日本共産党の〕呼出しを受けて福岡にいく。汽車の中で十一年前「フォイエルバッハ論」を読みあった技術者に会う。五〇年以来の流転物語を一通り聞く。型のごとく潰乱し、作法のごとく信念を秘め、黒くこびりついた血を洗おうとしながら、その痕跡によってのみ生を支えている男。無意識のうちに彼を屍体のように眺める瞬間があったらしく、二三度蜘蛛の巣を払う手つきをして佐世保の方へ消えていったが、目的の場所にいくと今度はこちらが屍体以下に扱われる番だった。無知の偉大さと偉大な無知が接吻しあっている空気のなかで、ゲマインデとゲマインシャフトの差について下手な講釈をしておいた。全逓のR〔福森隆か〕、世を歎きながら一泊。

四日　打合せのためやってきた上野英信と彼の新刊『親と子の夜』をめぐる対談。「サークル村」十二月号に掲載する。市議のS〔杉原茂雄〕来る。夜、上野と炬燵を囲み、失業者調査の執筆分担を決め、徹夜の覚悟をしたが途中で上野の風邪悪化、こちらも咳はげしく就寝。

六日　岡垣村青年団の文化祭で恋愛についてしゃべらされる破目となった。息子、娘それぞれ二十名あまり。娘たちは農家の息子たちを歯牙にもかけず、親を口説く法を伝授せよと要求する。すべっこい球をぶきっちょな指でつかまえるときのように、われわれの大部分が一組の男女の呪われた関係の所産でしかないことを強調し、オートバイの尻にのっけてもらい、寒風をついて帰る。

八日　昨日からひきつづき博多湾に面した香椎の全逓保養所で炭鉱失業者地帯調査旅行のルポをまとめているが、同行諸兄の原稿がなかなかはかどらない。新聞をひっくりかえしたが十八年前の開戦のことがどこにもないのに改めて感心し、ついでに香椎宮のあたりへ行ってみることにする。

ちゃちな春日造りの前にあるきたない藻や泥水を眺めて神功さんのことを考えていたら、いつのまにかこちらが新羅の方へ回り、なぜ朝鮮が独自の力で日本を侵略した歴史がないのか分らなくなった。それほどソフトで平べったい地勢である。

九日　Q君を病室に訪ねたが面会謝絶。看護婦の話では、まだ食事をしているかどうかすら認識できないらしい。暗然として果物籠を託して去る。帰ってみると上野英信がきていた。お互いにQには無理な註文をしつづけた。気狂いや首つりの一人二人はと池田勇人みたいなことをいったこともあるが、責めの一半を負わねばならない。彼にかわって彼の問題を「考える」

よりほかに手がない。

十日　母肋骨カリエスで手術するとの知らせ。午前中に毎日新聞の原稿。午後ほったらかしていた詩集出版の件につき、目をつぶって通知する。竹トンボや水鉄砲なんかのように出来の悪いおもちゃを作っているだけのこと。それにしても今年は一篇の詩も書かなかった。たぶんしあわせだったのであろう。

十一日　折尾へ出てうろうろする。本を三、四冊買って帰る。黒田寛一、杉原荘介、ヴァージニア・ウルフ、チェスタートンなど。『日本残酷物語』第一部を読む。老人、子どもの項にくらべると女の被害はあまり鮮明でないので、事あるごとにサークル村の女たちへ「そら、みろ」ということに決めた。

夕暮、訪ねてきたサークル村編集委員のU〔上田博〕君が自転車での帰途、トラックと衝突、車輪にはさまれて前頭部、後頭部に傷を負ったとの報が入る。先だっても彼は坑内で命拾いをしたといっていたが、病気では死にそうもない男だけにいささかはらはらする。

十二日　事務局H〔平野滋夫〕君、簡単な打合せのあとUを見舞にいく。その報告では十日間の安静ですむらしい。坑内での負傷には笑っている炭鉱労働者も交通事故には他人事でないという顔をするのがおかしい。宇部興炭労からの四人をはじめ千客万来、書きかけの原稿をほうりだしてしまう。夜二十五、六名で座談会。

十三日　各所に分宿した連中が集まって、午前中編集委員会、午後朝鮮料理トンチャンで忘年会。歌と討論のサンドウィッチをつづけていたがついに神社の境内に寝る者も出る始末。

十五日　郵便遅配で〆切りに間にあうかどうか見当つかなくなった原稿を終日ひねくり廻す。夜ふけて国鉄職場離脱組のF〔千喜田春夫か〕君来る。志免の闘争をめぐって企業意識とサークル意識の関係をどう考えるべきか討論する。それについて書いてもらうことにする。

十六日　サークル村事務室の方でなにやら警官のような話声がするので聞きとがめたら、さきごろ録音した座談会のテープを廻しているところだった。しかもごうまん不快なその声はなんとおのれの声。自意識過剰か不足かと小首をかしげているうちに、きょう誕生日であることを思いだした。S君貸与の電気コタツを膝に抱き、ざんばら姿の丹前姿で坐っている三十六歳の男に同情してK〔小日向哲也か〕君がウイスキーを差入れてくれた。

十七日　五十枚ほど書いてうんざりし、一応ケリをつけることにして近くのバーと称する居酒屋をひやかしたら、三味線の師匠にされてしまった。先日も八百屋の女店員氏が「あの男はものを書くそうだが貸本屋にある本でいえばどんなのに当るだろう」といっている由、闇米屋のじいさんはマンガ家と思っている。芸のないことを恥じいるばかりだ。そのうち彼らと読書会でもひらこう。

十八日　原稿一つ二つ書いて局にもっていったが郵便はいつ着くかわからないという。大正炭鉱へまわり、日暮れどきの選炭場のまわりを歩く。坑夫二三人と話す。町でない町、嵐のない嵐、それを遠賀川の水といっしょに飲んでいれば自分をしばっている糸がいつか切れるというのか。

十九日　某製菓会社の話を聞こうと思って、鳥栖にいったがだめだった。支配欲に燃えていない資本主義などおよそ問題の対象にならない。

二十日　Q君がいくぶん正気づいたとのしらせ。しきりにある批判を気にしていたという。Qよ、「原則」主義者は決して首をつらないのだから正統派も断じて狂ってはいけないよ。しかしよかった。もう何か書きたいといっているそうな。

夜、公民分館の青年部の会合へいってみる。二代目坑夫が多いが、どこやら尻をぺたんとすえてしまっている感じだ。帰りにS君と地もとの親分たちから昔話を聞く計画を立てる。

二十一日　午前中炬燵にもぐって雑誌を読む。中公の吉本隆明「戦後世代の政治思想」は面白かった。しかしこれではまだ論理の全貌がつくされているわけではないだろう。とくに実践のプログラムになるとき、しばしば反独占の強調が事態の単純化に陥るのを避けるためには。夜九時雲仙で上京。金の苦労が絶えたことのない師走だが、今度は少々難儀な旅である。

二十八日　思ったとおり、満足に金はできなかった。あたりまえの話だが、金を必要とする現実は昭々乎として存在する。でなければ、だれが「日録」なぞ書くものか。首を切られ十二年、肺病やみの幻想家が他人の好意を蚕食して生きつづけた結果が清算勘定に入ったわけである。借金を返すのに同じ年月かかるとすれば、その緊張のおかげで長生きするかもしれぬ。自分にはアホらしく、人様にはお気の毒な身のさだめだ。日高六郎に送られ東京を発つ。

二十九日　札幌郊外の高校で家庭科を教えている、奈良女大を出たばかりの娘さん、ジャンパーにスラックス長靴ばきといういでたちで大分の国東半島へ帰省しつつあるのと知合いになる。裁縫は浴衣もあやしいが、料理の極意と生化学の研究と教師の問題を三つともやっていきたい。北海道の山野もくまなく歩きたいといって馬橇の鈴について説明したりしてくれた。それくらいの貪欲さは当然だという風情がやはりかすかに見事である。帰宅してすぐサークル村一月号のため、八幡の電工中村卓美と対談。

三十日　朝飯を食べながら、サークル村事務局平野滋夫と運営方針についてやりあっていたら、田川の夜警神代《こうしろ》英一《えいいち》来る。朝鮮人についての原稿書いてきていたが気に入らず、またも悪口をいう。教育能力というものがまるでないのはよく知っているが、自分自身を同時に二つの側から疎外されている存在としてとらえることが何故そんなにむつかしいのか。「谷川思想を葬れ」という文書を読む。

三十一日　超満員の急行で南の生家へ行く。車中で『現代の発見』第一巻と鶴見俊輔『誤解する権利』を読む。鶴見の「クワイガメエダシタ」というリフレインのある詩には笑った。彼もまた戦前派的擬古調から戦後派的な芽が生えてくるジャガイモを多年ひきだしのすみにころがしていたのだ。それにしても「満員列車の思想」のなかを馳けぬけていく「思想の満員列車」鶴見の本はこういうときに読むにかぎる。

一月一日　年々、正月の儀式がぼけていくのは「オメデトウ」という観念が死につつあるからだろうが、それが復活するときにはどんな言葉によってあらわれるだろうか。きっと自分を祝福するために他人を祝福するという関係が逆転し、「今日ワタシハメデタイ人間ダ」という風になるのではあるまいか。午後、東京の兄、名古屋の弟らと家族会議。いつまでたってもオメデタイ私のことが議題である。

二日 炭鉱に関する雑文と随筆的書評を書く。新劇女優になりたいというBGほか三、四人来訪。自衛隊をやめた男も就職依頼にくる。暗い洞穴のようなところで微風が動いている南の正月である。

二二日から二八日まで、師走の「金策」にまわった東京滞在中の出来事は省かれる。往復ともに夜行急行列車の二等車に違いない。もちろん、寝台車ではない。狭い座席で一夜を過ごすのだ。元旦は生家のある水俣で迎えた。また、ここでも誕生日は「一六日」となっていることに留意しよう。救世主キリストとされるイエスと同じ「二五日」にするのは、一九六一年以降である。

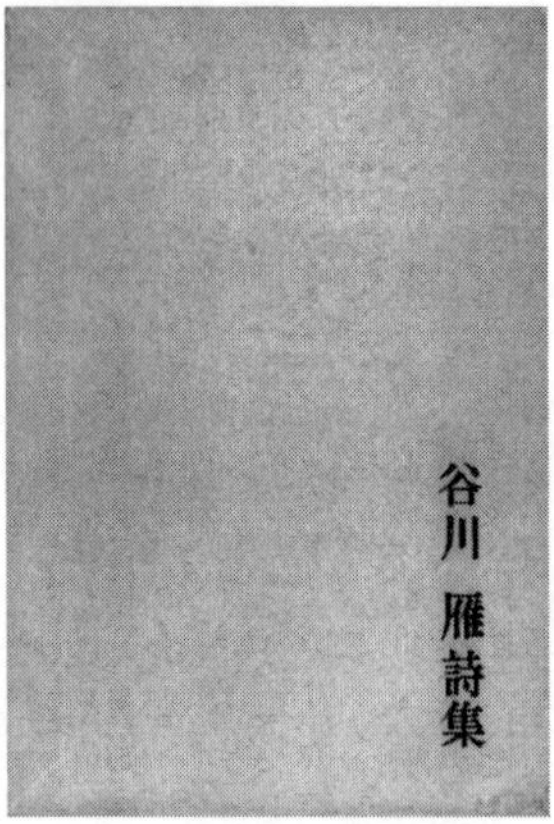

なお、谷川雁個人にとっても、一九六〇年には二つの大きな出来事が待っていた。一つは、三月の詩集刊行であり、もう一つは、七月の共産党除名・離党である。そ

の消息も「日録」からは窺える。

一二月一〇日に、「詩集出版の件につき、目をつぶって通知」とある。国文社で編集にあたったのは、かつて久留米の同人詩誌「母音」で谷川雁を兄事し、森崎和江とも親しかった松永伍一だ。

一九六〇年一月六日の日付を持つ、『谷川雁詩集』「あとがき」は、「私のなかにあった「瞬間の王」は死んだ」で始まり、「そして自分の「詩」を葬るためにはまたしても一冊の詩集が必要なのだ。人々は今日かぎり詩人ではなくなったひとりの男を忘れることができる」という、イロニーに満ちた言葉で結ばれる。いわゆる「詩人廃業宣言」として知られた。一九五九年、「今年は一篇の詩も書かなかった。たぶんしあわせだったのであろう」との感慨を漏らしている。確かに、五八年一〇月号の「サークル村」に掲載した「世界をよこせ」が、「詩」としては最後の作品である。

本書「あとがき」で語るように、六月に郵送した離党届の文面は「きっちり二十字」で尽きた。中間市の居住細胞に属した谷川雁は、一二月三日に、福岡市の上級機関・県委員会からの呼び出しを受けていた。ちなみに、この居住細胞には上野英信夫妻も所属していたし、キャップは年若い古川実だったこともある。

日本共産党中央機関紙「アカハタ」一九六〇年九月二日付に、大きく発表された「谷川雁、杉原茂雄、小日向哲也、沖田活美の除名処分について」は、遠賀地区委員会の名で、七月二二日の日付を持つ。

長文の新聞掲載は、「日本共産党遠賀地区委員会は、中間市居住細胞が提出した谷川雁についての除名申請の決議を慎重に検討し、さらに谷川雁の最近の言動を独自に調査したうえ」、除名を確認したとする。「谷川雁は、一九五八年春、党福岡県委員会文化部員となった。同年秋創刊された「サークル村」同人のひとりであり、このサークル誌を通じて事実上の指導者の役割を果たしてきた。この「サークル村」創刊にあたって発表された「サークル村創刊宣言」や、その後、かれが新聞雑誌に発表した諸論文は、いちじるしくマルクス・レーニン主義の思想をねじまげ、党の方針をあいまいにし、文化サークル運動を党や労働組合の運動から事実上切りはなそうとする傾向をふくんでいた」と断罪した。五九年九月には、福岡県党会議で問題となり、文化部員は解任された。一二月にも「谷川の思想上のあやまりについて、公式にその見解を発表してのち、再三にわたって本人と面接し、意思の統一をはかる機会をあたえた」が、「出席を拒否しつづけ、ついに、六月離党を申し出る」こととなったという。

これに対して、「除名」処分など承服しない彼らは、杉原らの大正炭鉱細胞員を軸に「共産主義者同志会」の名の下に活動を続ける。第二期「サークル村」誌上の座談会に見られるように、「前衛をいかにつくるか」をひろく論議していった。彼らは、各行動隊から大正鉱業退職者同盟指導部の中軸となっていく。

「サークル村」（第一期）の休刊

森崎和江を除いた「サークル村」当初の編集委員は、すべて日本共産党員だった。党文化部の「承認」のもと、その運動の一環として「サークル村」は創刊されている。もっとも、谷川雁の方は、利用できるものは何でも利用する方針だったに違いない。あわよくば、県党だけでなく九州・山口あたりは、すべて陣営に巻き込むつもりだったかも知れない。

したがって、中心メンバーの日本共産党からの「除名」と不即不離の関係に、「サークル村」の一時休刊は置かれる。もちろん、直接の契機は、活版印刷による刊行資金の枯渇である。「雑誌『サークル村』事務局」の署名で発表された「ばってん、俺たちゃ書く――『サークル村』一時休刊の弁」（「日本読書新聞」）がある。これも、谷川雁の執筆である。

『サークル村』という、泥くさくてケンカ好きでオーヴァーな雑誌が出ていた。〝九州のアパッチ〟といった人もあるが、これは褒めすぎであろう。アパッチほどの民芸的才能はなかった。一昨年九月に創刊、二十号を出して、この五月の特集「三池から吹いてくる風」をおしまいに〔通巻二十一号で〕一時休刊を宣言した。

七月三十、三十一日に筑豊の炭坑町、中間市で第三回総会をひらき、会員の再登録、プリントの月報、運営委員会の選出などをやって、活動の第二期に入ることになった。といえば型の通りだが、九州の若い労働者を中心に集まっている二百数十名の「九州サークル研究会」にとっては、一年近くつづいた嵐のあとの決算日であったわけだ。
集まった約四十名の会員は、総会から十日足らずさかのぼった二十二日、「人民の敵、反共〝左翼〟挑発者集団に転落した谷川雁、杉原茂雄、小日向哲也、沖田活美らの除名について」という共産党遠賀地区委のビラが、この町の三つの炭坑をはじめとしてまかれた事実を知り、これまでの長い対立に決定的な瞬間がきたことを感じていた。(中略)
杉浦明平の属する渥美細胞の清田町議、関西国民文化会議の倉橋健一、調査のため立ちよった一ッ橋大の学生なども傍聴していたがセイサンな討論風景にちょっと声をのんだ形だった。しかし彼等もトンチャン料理の親睦会になると野盗のごとき眼をかがやかせはじめた。
そもそも会は発足当時から全反体制陣営の「体質改善」をめざしており、文化活動の根幹的な方針をもたない党はしぶしぶながら、その方向を認めていたのである。(中略)
『サークル村』はなにひとつ建設的な役割を果たさなかったことになっているが、三池闘争で愛唱された「がんばろう」とか「ヤマの娘」とかは会員の作詩によるものだった。しかし歌の一つや二つはまず問題ではない。九州サークル研究会は、易者風にいえばますます剣難の相を呈している。気負いすぎるといわれるかもしれないが、事実九州ではすでにその会員であること自体、ハリネズミ扱いである。女房が会を支持してゆずらないので、解体にひんしている夫婦も幾組かある。これも女難に数えるべきであろうか。
近くこの道行きを一冊にしてみたいと思っているし、往年の女坑夫の聞書も森崎和江が出版する。日本残酷物語現代版にも悪童達が執筆することになっているが、西部劇のエキストラをなりわいとするような、器用なアパッチになり終る心配はいまのところないと思っている。

森崎和江の『まっくら』や、『日本残酷物語』現代篇は刊行されたが、「道行き」は未刊行。この当時は、まだ持てたユーモアも許さないほど、状況は緊迫していったのだった。

また、最後に指摘するならば、巻頭の「乗りこえられた前衛」、つまり「前衛はのりこえられた」の名文句も、「事実」論議をするならば不毛な論争に終わるだろう。谷川雁は、「共産党＝前衛はのりこえられるべき」と考え、この言葉を発したのだ。

なお、本書でも、今日では差別的表現として忌避される用語を随所に見る。筆者が故人であることと、言語表現が著しく時代的背景を持つことを考慮して、初出・初刊の表記を採用した。ただ「底辺ブームと典型の不可視性」附記で、「底辺」を「まちがった用語法」と批判し、のちには「底辺」よりも「裾野」を使用したように、常に言葉に対する繊細さを失っていないことも指摘しておきたい。

著作リスト　1960・1－61・4

凡例
※詩作品は除いている。
※発行者の変更なき場合は記載していない。
※冒頭の数字は本評論集の収録順で、**影**は『影の越境をめぐって』、**無**は『無《プラズマ》の造型――60年代論草補遺』（潮出版社、一九八四年一〇月）に収録されたものである。
※評論集未収録のうち、＊印は八木俊樹編『無の造形――谷川雁未公刊論集』（私家版、一九七六年）にも未収録である。

※1958年
9　10・1　組織と病識――「国民文化集会」の底流から　東京大学新聞復刊59　東京大学新聞社

※1959年
8　10・10　政治的前衛とサークル　※特集・文化運動における創造と組織　文学（27－10）　岩波書店
10　11・9　軸と回転――今日の停滞を打破る方向　週刊読書人299　日本書籍出版協会
13　11・10　武勇の国の臆病者を――文学の切羽としての労働について　※「文学の窓」欄

1960年

59・12・14〜60・1・11　日録　文学（27－11）

1　まず学校への懐疑を　日本読書新聞1032〜1035　日本出版協会

1・20　サークル意識と企業意識　※中村卓美との対談　教師生活6　新評論

1・20　サークル運動一九六〇年の展望――年末集会記録（討議）　サークル村17（3－1）　九州サークル研究会

2・1〜3・1　〔共同調査〕失業炭坑夫の内臓は語る　サークル村17（3－1）

中央公論（75－2／3）　中央公論社

※共同調査は上野英信・衣笠哲生・嶋崎譲・谷川雁・森崎和江の5名

無　2・8　漂流する〝日本の後衛〟――堀田善衛『建設の時代』　日本読書新聞1039

2・10　集団創造の姿勢について――一月十日・座談会（討議）　サークル村18（3－2）

＊　3・1　暗黒を知る者のゆたかさを――土門拳写真集「筑豊のこどもたち」から　教育評論93　日本教職員組合情宣部

3・1　あとがき　『谷川雁詩集』　国文社

＊　3・20　選後感　菊池野75（9－12）　菊池恵楓園患者自治会

3・20　ひっそりした報告――九州　国民文化9　国民文化会議

4　サークルと文学意識――短詩形文学に触れながら

俳句（9－4）角川書店

無　4・11　熱い泥の激突――三池で感じること　日本読書新聞1048

11　5・1　サークル学校への招待　※特集・私の勉強法　思想の科学17　中央公論社

無　5・7　もっと未来感覚を――島尾敏雄『離島の幸福・離島の不幸』　図書新聞551　図書新聞社

無　5・10　反暴力　※特集・三池から吹いてくる風　サークル村21（3－5）

5・21　老子、ヴァレリイなど――読書開眼　図書新聞553

7　6・1　近代の超克・私の解説　新日本文学155（15－6）新日本文学会
※**初出題名**　近代の超克－私の解説

6　教育は血縁と野合している　教育115（10－6）国土社

6・25　読後感――第三回松原賞小説　九州大学新聞448　九州大学新聞部

1　6・27　乗りこえられた前衛　日本読書新聞1059

2　7・1　私のなかのグァムの兵士　思想の科学19

7・20　九州サークル研究会第三回総会への参考資料　九州サークル研究会

7・25　問題は〝質〟にあります――共産党の現状をどう見るか　日本読書新聞1063

7・29　これでも「人民の敵」か！――共に新しい時代の先頭に立ちましょう！　ビラ
※共同署名

無　8・29　夜光貝のような唄――久保けんお『南日本民謡曲集』
日本読書新聞1068

無　9・1　創造者の論理――サークル誌評
新日本文学158（15－9）

9・1　無重力地帯
現代詩（7－9）　飯塚書店

9・5～12　ゼロからの出発（座談会）
※出席者は鶴見俊輔・谷川雁・藤田省三・吉本隆明
日本読書新聞1069／1070

9・10　小伝
『現代日本名詩集大成』11巻　東京創元社

9・10　再出発のために――第三回総会への参考資料　※無署名
サークル村22（3－6）
※再録・無署名

9・10　〃九州サークル研究会〃第三回総会から（討議）
サークル村22（3－6）

無　9・12　人間の陰画として現われた労働者の原像――上野英信『追われゆく坑夫たち』
週刊読書人341

9・19　ばってん、俺たちゃ書く――『サークル村』一時休刊の弁
日本読書新聞1071

無　10・1　危険思想のリフレイン――サークル誌評
新日本文学159（15－10）

10・1　底辺をどう考えるか
シナリオ（16－10）　シナリオ作家協会

無　10・3　さしあたってこれだけは　※共同署名
日本読書新聞1073

10・3　さしあたってこれだけは
週刊読書人344

10・10　さしあたってこれだけは　※再録
サークル村26（3－7）※通巻23

15 10・10 底辺ブームと典型の不可視性――出版記念会の討論の周辺から サークル村26(3－7)※通巻23

3 10・30 定型の超克 『民主主義の神話――安保闘争の思想的総括』 現代思潮社

10・31 〝無効なもの〟を好む性根――私の読書遍歴 8・15の前と後 日本読書新聞1077

無 11・1 せんさいな丸太どの/社会 ユリイカ50(5－11) 書肆ユリイカ

12 11・10 自立組織の構成法について サークル村27(3－8)※通巻24

11・10 アピール 大正炭坑の闘争について ※サークル村事務局 サークル村27(3－8)※通巻24

4 12・1 前衛の不在をめぐって――「さしあたってこれだけは」の私的前提 中央公論(75－13)

＊ 12・1 サークルの切羽はどこにあるか――教宣研究集会での講演 あしおと9 九州採炭文学サークル

14 12・5 日本の歌――剣劇ごっこと戦闘性の区分 日本読書新聞1082

＊ 12・10 前衛をいかにつくるか――第一回(座談) サークル村28(3－9)※通巻25

6 12・10 転向論の倒錯 『現代の発見12 組織と体制』 春秋社

12・30 詩への希望 詩学(15－13) 詩学社

一九六一年

5　1・1　知識人と私のちがい　思想の科学25
※初出題名　階級の間隙――知識人と私のちがい

無　1・10　私だけが読んだ小説――山崎喜与志「戦場の空の下に」　サークル村29（4－1）通巻26

1・10　真の前衛党の創造をめざして　※無署名　サークル村29（4－1）通巻26

1・10　前衛をいかにつくるか――第二回座談会（座談）　サークル村29（4－1）通巻26

無　1・23　日本人の思惟の習癖――埴谷雄高『虚空』　日本読書新聞1088

1・30　現代的マチエールの喪失――第五回国民文化全国集会から　一橋新聞695　一橋大学新聞部

1・31　第五回国民文化全国集会――文学分科会（討議）　第五回国民文化全国集会 記録　国民文化会議

1・31　サークルは芸術運動をどう進めるか――第二分科会（B）（討議）　第五回国民文化全国集会 記録

1・31　第五回国民文化全国集会――全体会議（討議）　第五回国民文化全国集会 記録

3・1　さしあたってこれだけは（※関根弘・吉本隆明との座談）　現代詩（8－3）

3・10　一人一殺に抗して――文化運動のマチヱール
サークル村30（4－2）通巻27
3・10　前衛を如何につくるか（B）※第三回座談会
※再録（現代的マチヱールの喪失　改題）
サークル村30（4－2）通巻27
3・15　〔回答〕現代詩人名鑑1961　詩学（年鑑1961年版）（16－3）
＊3・20　選評　菊池野87（10－12）
16　3・31　日本の二重構造　『現代の発見13 亀裂の時代』春秋社
4・10　色の算術　サークル村31（4－3）※通巻28
4・10　ペテン師答えていわく――何が安保闘争の鏡か
一橋新聞698
17　4・25　現代思潮社版　あとがき　『戦闘への招待』現代思潮社
影　4・30　断言肯定命題　詩学（16－5）

（作成　坂口博）

主な校異

一、本書における、初出・初刊（現代思潮社、一九六一年四月）との主な校異をまとめた。ただし、後版（潮出版社版、河出書房新社版など）との異同は記していない。
二、全般的に、日本語表記法の過渡期のために、送りかなは混在している。例えば、少なく／少く、異なる／異る、誤り／誤まり、などは初出のままである。
三、ここでは、初出と初刊における主な異同のみを記載、軽微な句読点などの異同は省いた。明らかな誤植は、初出・初刊ともに記載していない。
四、本書で採用した表記を太ゴチック体で示した。異同箇所には傍線を付した。

	初出	初刊
乗りこえられた前衛		
14頁8行	**出発点**	出発的
私のなかのグァムの兵士		
17頁17行	**戦後の民主主義**	後の民主主義
20頁12行	**説明しようとしたりしている**	説明しようとしている
20頁14行	**歌手なみにはその**	歌手なみにその

22頁9行	**むつかしい**	むづかしい
23頁16行	**「整然たる統制」に消極的人気**	整然たる統制に消極的人気
24頁11行	**根性がないからなあ**	根性がないなあ
24頁17行	**日本の炭鉱労働者**	日本の炭鉱の労働者
25頁16行	**個人の実存と組織の実存を**	個人の実存を
25頁17行	**抵抗派も実力抵抗派も**	抵抗派も
26頁9行	**どれだけの解放感を**	どれだけ解放感を
26頁9行	**笑いの種子を**	笑いの種を
29頁6行	**ごときものにもむろん**	ごときものにむろん
30頁1行	**単なる仮設**	単なる仮説
32頁2行	帰還できないという仮説	帰還できないという仮説　※「**仮設**」に統一

定型の超克

34頁6行	**すべての方針、すべての行動、すべての組織**	すべての方針、すべての組織
35頁15行	**というふうにはすらすら**	というふうにすらすら
36頁7行	**ついジャパニーズ・スマイル**	ついにジャパニーズ・スマイル
38頁8行	**ゆききするのを見るのは悪い眺め**	ゆききするのは悪い眺め
42頁2行	**反テーゼ的潜在部分**	反テーゼ的潜在的部分
43頁16行	**前にも述べた**	前に述べた
44頁3行	**批判してさえおれば**	批判しておれば

44頁8行　**指導部みずからが**　指導部みずから
45頁4行　**単純化であるばかり**　単純化でもあるばかり
47頁6行　巾広く　巾広く　※表記を統一して「**幅広く**」
49頁10行　**指令を待たず、**　指令を持たず、
54頁13行　**日本の大衆**　日本人の大衆
63頁4行　**（一九六〇・九・五）**　〔記載なし〕　※末尾に追加

前衛の不在をめぐって

69頁3行　機関車が事志に反して　**機関車が、こと志に反して**
71頁9行　**人間同士が**　人間同志が
75頁13行　**動かしかたから**　動かしかたが
76頁9行　**労働条件悪化と大量首切り**　労働条件悪化や大量首切り
80頁1行　**いたしかたはない。**　しかたはない。
80頁15行　**分派《エコール》**　分派

知識人と私のちがい

90頁4行　刑務所　**豚箱**
92頁5行　地主　**理的な地主**
94頁2行　**永久に姿をあらわさない文学**　永久に姿をあらわさない文字

転向論の倒錯

103頁5行	**準転向つまり準非転向が**	準転向が
103頁12行	転向定義	**転向に関する定義**
118頁11行	**抽象としての収斂性**	抽象として収斂性
120頁11行	**その体系を別の体系と区分する**	その体系と区分する

近代の超克・私の解説

124頁4行	**起す人々がいる**	起す人がいる
130頁10行	**社会的背景かがなかった**	社会的背景がなかった
132頁4行	**定式化しえている**	定式化している
137頁14行	**前にも述べたように**	前に述べたように
137頁15行	**とらえられるためには、**	とらえるためには、

政治的前衛とサークル

146頁15行	**一種の仮設**	一種の仮説
147頁11行	**アキレスと亀の競走**	アキレスと亀の競争
148頁11行	**いってないといえる**	いっていないといえる
151頁13行	**階級的連帯**	階級連帯

組織と病識

155頁10行	集中していた。	**集中さるべきだった。**
158頁9行	**高めることとひろげること**	高めることひろげること

158頁10行　**高さはゼロに近づき、低さは点に迫る**　**高さはゼロに近づき、低さは点に迫る**
※文意からは「低さ」ではなく、「狭さ」と推測されるが、原文のママである。

軸と回転
161頁15行　**存在してはいたが、**　存在していたが、

サークル学校への招待
164頁3行　**鳥が**　鳥が
176頁8行　**盗賊の群は、**　盗賊の群、

自立組織の構成法について
180頁4行　それと平行して　**それと別な立場で**
182頁4行　**追究されなければ**　追求されなければ

日本の歌
197頁12行　一九六〇年において死滅　**一九六〇年に死滅**

底辺ブームと典型の不可視性
202頁5行　半分づつ　半分づつ　※現代表記の「**半分ずつ**」に訂正
203頁14行　実在しないのだから、実在　**可視的には実在しないのだから、微視的な実在**

日本の二重構造

206頁8行	**日本にはそもそも**	日本にもそもそも
208頁9行	**太陽への原始的信仰**	太陽の原始的信仰
210頁5行	**しかも薩藩の暴政**	薩藩の暴政
213頁14行	**無責任の論理へ**	無責任へ
214頁15行	**ひざまずく**	ひざまづく
215頁16行	**つまずきの石**	つまづきの石
215頁16行	**総力戦すらもそれを**	総力戦すらそれを
216頁12行	**解ききっていない**	開ききっていない
224頁7行	**スタイルをもった**	スタイルをとった
224頁8行	**スタイルをもった**	スタイルをとった
225頁3行	**反対側には別な**	反対側に別な
225頁4行	二個づつ	二個づつ　※現代表記の「**二個ずつ**」に訂正
225頁7行	**二重化過程**	二重過程
226頁5行	**あらゆる人間的諸力**	あらゆる人間諸力
226頁6行	**ほかにはいかなる**	ほかにいかなる
229頁1行	**相関性が欠如**	相関性が欠除
231頁17行	素朴な絶対主義	**素朴な絶対評価**
232頁9行	**そのゆえにそここそ**	そのゆえにこそ
233頁14行	**つまずきの石**	つまづきの石
243頁7行	**この下降性こそ実は**	この下降性こそは実は

245頁13行　**見ようとする者は**　見よう見ようとする者は

247頁3行　下剋上的逆転　**下剋上的移行**

248頁6行　存在様式の認識そのものでなければならず、　**存在様式批判そのものでなければならないが、**

（作成　坂口博）

谷川雁（たにがわ・がん）

1923年12月熊本県水俣市生まれ。
45年　東京大学文学部社会学科卒業。8カ月の従軍。
54年　『大地の商人』（詩集、母音社）
56年　『天山』（詩集、国文社）
58年　『原点が存在する』（弘文堂）
森崎和江、上野英信、石牟礼道子らと「サークル村」を福岡県中間市で創刊。
59年　『工作者宣言』（中央公論社）
60年　『谷川雁詩集』（国文社）
中間市の大正炭坑を拠点に大正行動隊を組織。
61年　『戦闘への招待』（現代思潮社）
吉本隆明、村上一郎と「試行」創刊。
62年　山口健二、松田政男らと「自立学校」設立。吉本隆明、埴谷雄高らとともに講師をつとめる。
63年　『影の越境をめぐって』（現代思潮社）
65年　幼少年のための外国語教育機関「ラボ教育センター」創設。
81年　「十代の会」主宰。
82年　「ものがたり文化の会」主宰。
83年　『意識の海のものがたりへ』（日本エディタースクール出版部）
84年　『無の造型　60年代論草補遺』（潮出版社）
85年　『海としての信濃　谷川雁詞集』（深夜叢書社）
『賢治初期童話考』潮出版社
89年　『ものがたり交響』（筑摩書房
92年　『極楽ですか』（集英社）
95年　『北がなければ日本は三角』（河出書房新社）
『幻夢の背泳』（河出書房新社）
2月病没。

坂口博（さかぐち　ひろし）
1953年佐賀県伊万里市生まれ。福岡県立東筑高校卒業後、いくつかの職を経て、92年より福岡市の出版社・創言社編集人。滝沢克己・キェルケゴールなどの哲学および文学書の出版に携わる。2013年退職。現在は火野葦平や「サークル村」関係などの文学研究と文学館活動に専念。文学批評誌「敍説」同人。著書『校書掃塵——坂口博の仕事Ⅰ』（花書院）、共編著『「サークルの時代」を読む』（影書房）、共著『活字メディアの時代』（福岡市・新修「福岡市史」特別編）『〈原爆〉を読む文化事典』（青弓社）。福岡県福津市在住。

＊本書は、一九六一年四月に現代思潮社より刊行された単行本を底本とし、初出誌紙と校合したものである。その詳細は解題および校異を参照のこと。

戦闘《せんとう》への招待《しょうたい》

著者　谷川雁《たにがわがん》

二〇二二年一〇月一〇日　第一刷発行

発行所　有限会社月曜社
発行者　神林豊
〒一八二—〇〇〇六　東京都調布市西つつじヶ丘四—四七—三
電話　〇三—三九三五—〇五一五（営業）／〇四二—四八一—二五五七（編集）
FAX　〇四二—四八一—二五六一
http://getsuyosha.jp/

装画　千田梅二
装幀　町口覚
編集　神林豊+阿部晴政
編集協力　小原佐和子
印刷・製本　モリモト印刷株式会社

ISBN978-4-86503-148-5